GOSCINNY ET UDERZO
PRÉSENTENT

L'INTÉGRALE
Luc Junior

Texte : R. GOSCINNY   Dessins : A. UDERZO

LES ÉDITIONS ALBERT RENÉ
26, AVENUE VICTOR HUGO 75116 PARIS.
www.asterix.com

Nous remercions Monsieur Albert Uderzo et Madame Anne Goscinny
de nous avoir ouvert leurs archives personnelles, nous permettant d'enrichir
cet ouvrage de documents originaux inédits.

© 2014 LES ÉDITIONS ALBERT RENÉ / GOSCINNY-UDERZO
Dépôt légal : octobre 2014

Responsable éditorial : Dionen Clauteaux
Direction artistique : Régis Grébent
Maquette et Réalisation : Fabrice Dessaux

Remerciements : Philippe Cauvin, Alain Duchêne, Gilles Ratier, Philippe Poirier, Emmanuel Soulier

Achevé d'imprimer en Espagne chez Gráficas Estella en septembre 2014 n° 270-9-1
Première édition limitée à 10 000 exemplaires

ISBN : 978-2-86497-270-9

Loi n° 49956 du 16 juillet 1949 sur les publications destinées à la jeunesse

Planche originale 135, réalisée pour *Luc Junior chez les Martiens*, crayonnée et encrée par Albert Uderzo.
René Goscinny, caricaturé par son ami dessinateur, s'y invite dans les deux dernières cases pour incarner un Martien d'un genre inédit !

À DEUX C'EST MIEUX

À l'orée des années 50, deux jeunes auteurs inconnus se rêvent scénaristes et dessinateurs de bandes dessinées. L'un, René Goscinny, est installé à New York, où sa passion pour un art qu'alors nul ne considère comme tel est mise à rude épreuve : « *j'étais parti aux États-Unis pour travailler avec Walt Disney mais Walt Disney n'en savait rien.* » racontera t-il plus tard. L'autre, Albert Uderzo, installé à Paris, illustre pour les journaux *France-Dimanche* et *France-Soir* la « *rubrique des « chiens écrasés » et divers reportages[1]* » pour reprendre ses propres mots, qui en disent long sur son plaisir à réaliser ces travaux. « *C'était surtout intéressant sur le plan... fiscal[2] !* » ajoute-t-il même, goguenard, se remémorant cette période. Comment dire plus clairement que le désir fou de bande dessinée, qui tenaille nos deux jeunes bourrés de talent, est alors bien loin d'être assouvi ? Ce qu'ils ne savent pas encore, dans leurs misères respectives, c'est qu'un humour, une vision de leur métier, et des influences communes rapprochent leurs deux solitudes.

Au début de leurs carrières respectives, René Goscinny et Albert Uderzo assuraient chacun de leur côté scénario et dessins. Au moment de leur rencontre, Albert travaille depuis peu avec le talentueux Jean-Michel Charlier, et peut se concentrer sur le graphisme. René, lui, continuera de dessiner ses séries *Dick Dicks* et le *Capitaine Bibobu* jusqu'en 1956, comme en témoigne cette photo.

Mais comment pourraient-ils se rencontrer, alors que près de 6 000 kilomètres et un océan les séparent ? Deux hommes d'affaires liégeois, Georges Troisfontaines et Yvan Chéron, son ami et futur beau-frère, scelleront le destin commun des deux futurs créateurs d'*Astérix*. À la tête des sociétés World Press et International Press (« *comme vous le voyez, on n'était pas timides pour les titres de firmes[3] !* » s'amuse Goscinny en 1973), ils fournissent en contenus la presse populaire, et notamment certaines publications de Dupuis, avec en particulier de nombreuses pages de bandes dessinées. Goscinny rencontre Troisfontaines à Wilton, dans le Connecticut. Celui-ci lui lance un « *Si vous passez par Bruxelles, venez donc me montrer ce que vous faites* » qui ne tombe pas dans l'oreille d'un sourd. « *Il a été étonné de me voir débarquer un jour, avec 19 planches de Dick Dicks[4] !* ». De son côté, Uderzo voit son travail remarqué par Chéron : « *Il m'a rendu visite chez moi, à Paris, où il pensait s'installer. Il avait vu mon « Tour de France en images » dans France-Soir, il avait trouvé ça intéressant et me demandait si je voulais faire de la bande dessinée pour lui. J'ai sauté là-dessus à pieds joints et il m'a invité à visiter ses bureaux à Bruxelles[5].* »

Travaillant tous deux pour Troisfontaines et Chéron, Goscinny et Uderzo font rapidement connaissance à Paris[6]. Ils s'installent dans les nouveaux locaux d'International Press, au 34 avenue des Champs Elysées. « *A ce moment-là, il aurait été inconvenant de ne pas aller sur les Champs-Elysées en costume et cravate, se souvient Albert Uderzo. Ce qui fait qu'on a toujours travaillé en cravate, les photos que j'ai de l'époque l'attestent. René portait en permanence un nœud papillon, ce qui a provoqué une confusion dans un bistrot où l'on buvait un verre. La patronne l'ayant pris pour un garçon de café, elle nous traitait bien en croyant que c'était un confrère ! Et voilà, tout est parti de là : la grande aventure entre René et moi est née à ce moment-là.* »

1 *Les Années Pilote*, Patrick Gaumer, Dargaud, 1996
2 *Clairette*, Collection Jean-Michel Charlier, Éditions Sangam, 2009
3 *Les Cahiers de la Bande Dessinée* n°23, 1973
4 Idem
5 *Astérix & Cie*, entretiens avec Albert Uderzo, Numa Sadoul, Hachette, 2001
6 Pour en savoir plus sur les circonstances de leur rencontre, voir *Oumpah-Pah - L'Intégrale*, Éditions Albert René, 2011

A deux, c'est mieux, et ce n'est pas Albert qui dira le contraire !
Au début des années 50, il fait les deux plus belles rencontres de
sa vie : avec la charmante Ada, qui deviendra son épouse, et avec
le toujours élégant René Goscinny.

Autoportrait d'Al Uderzo, comme il signait alors ses dessins,
réalisé en septembre 1950, peu de temps avant ses rencontres avec Yvan Chéron,
Georges Troisfontaines, et enfin René Goscinny.

Pour les héros de BD aussi,
à deux c'est mieux ! Amis pour la vie,
René Goscinny et Albert Uderzo n'auront
de cesse de créer des duos d'inséparables
amis dans leurs œuvres (Astérix et Obélix,
Oumpah-Pah et Hubert de la Pâte Feuilletée
et, ici, Luc Junior et Laplaque).

LES COPAINS D'ABORD

Le tandem est formé, les deux amis sont inséparables. Martial, dessinateur des séries *Rosine* et *Sylvie*, et ami d'Albert Uderzo depuis leurs débuts, se souvient de l'avoir entendu dire à l'époque : « *Entre Goscinny et moi, c'est à la vie, à la mort[7] !* » « *En plus, nous avons très vite compris que nous nous complétions à merveille,* raconte Albert Uderzo. *Nous rigolions aux mêmes choses, et nos qualités respectives, lui au scénario, moi au dessin, se complétaient.* » Entre eux deux, tout est sujet à crise de rires, comme l'explique Albert Uderzo : « *Mme Dominic, une dame bon chic bon genre qui travaille avec Georges Troisfontaines, nous raconte très sérieusement qu'un après-midi, se trouvant en barque avec son père sur un lac, celui-ci s'est penché imprudemment au-dessus de l'eau... et a perdu son dentier qui a sombré irrémédiablement dans les profondeurs. Elle conte cette anecdote avec une telle tristesse et un tel désarroi que René et moi ne pouvons retenir un fou rire[8].* »

Ces éclats de rires partagés permettent de mieux supporter une quantité de travail astronomique. Entre Bruxelles et Paris, au sein de l'équipe qui travaille pour la World Press, les journées commencent à 9 heures, et se terminent parfois à 3 ou 4 heures du matin ! Quand on demande à Albert Uderzo pourquoi il n'est pas resté plus longtemps à Bruxelles, suite à l'invitation de Chéron, sa réponse fuse : « *Je n'aurais pas pu tenir le rythme ! Chéron m'a installé dans son studio, rue Paul-Henri Spaak. La place manquait, et on m'a donc installé dans une petite chambre, sur un matelas à même le sol. Vers quatre heures du matin, j'entends quelqu'un qui rentre dans l'appartement. C'était Hubinon, le dessinateur de Buck Danny, qui venait lui aussi dormir par terre. Je n'ai pas traîné pour rentrer à Paris !* » En ces années de vache enragée, de solides amitiés se forment. En quelques mois, Goscinny et Uderzo font connaissance avec une génération de dessinateurs exceptionnelle : Victor Hubinon, donc, mais aussi Eddy Paape, Michel Tacq, Jean Graton, Dino Attanasio, Jean-Jacques Sempé, sans oublier le grand scénariste Jean-Michel

Charlier, qui viennent s'ajouter à Joseph Gillain, dit Jijé, et Morris, que René Goscinny a déjà rencontrés aux Etats-Unis. Les talents de caricaturiste d'Albert Uderzo faisant merveille, on aperçoit un bon nombre de ces jeunes gens dans ses dessins de l'époque. Le plus souvent représenté est bien sûr René Goscinny, qui apparaît au détour d'une case dès la première version d'*Oumpah-Pah*, premier projet co-créé par les deux amis.

Si la période s'avère difficile sur le plan matériel pour la bande d'amis, les nuits sont malgré tout synonymes de sorties dans les boîtes à la mode, car Georges Troisfontaines est un fêtard invétéré. « *Il aimait vivre la nuit, mais pas seul* » explique Uderzo. *Il nous demandait de l'accompagner et réglait les notes que nous n'aurions pas pu assumer avec nos maigres revenus de l'époque.* » La Nouvelle Ève, L'Amiral, Le Carrousel, Le Whisky à Gogo, Le Crazy Horse Saloon (qui avait la préférence de René Goscinny), La Rose Rouge... C'est le tout Paris de la nuit que nos amis fréquentent assidûment... Avant de débarquer au petit matin « *dans notre local qui sentait le tabac froid, où nous nous écroulions sur les sièges* » comme le raconte, avec sa verve inégalable, Goscinny dans une chronique épique. Il poursuit : « *Alors, notre patron se dirigeait vers la fenêtre qui donnait sur la cour de l'immeuble, contemplait l'obscurité, mettait les poings aux hanches, et soupirait une dernière fois : « Quelle vie de dingues nous menons ! Regardez ! Tout le monde est allé dormir, alors que nous sommes là à turbiner comme des fous !* » Mais le lendemain, sur le pont depuis 9 heures du matin, les travailleurs sans relâche ne voient revenir le patron que vers 4 heures de l'après-midi, « *l'œil comateux, le teint pâle, la bouche pâteuse, il se laissait couler dans son fauteuil, sans même ôter son pardessus* ». Georges Troisfontaines, déjà distingué dans *Buck Danny*, série dont il a soufflé l'idée et personnage auquel Hubinon a donné les traits du Liégeois, rentre un peu plus dans l'Histoire de la BD en devenant le plus singulier des patrons grâce à la géniale plume de René Goscinny !

---

7   Entretien avec Martial par Patrick Gaumer.
8   *Albert Uderzo se raconte*, Albert Uderzo, Stock, 2008

Séances de rigolades entre copains, et quels copains ! On reconnaît ici Jean-Jacques Sempé, René Goscinny, Albert Uderzo et Jean-Michel Charlier sur une péniche parisienne en 1957. Croyez-le ou non, c'est un déjeuner de travail dans le cadre d'une commande de documents destinés à faire connaître la margarine française. Un travail alimentaire, à coup sûr ! Quelques années plus tard, après la création de *Pilote*, le trio vedette de l'International Press, Uderzo, Charlier et Goscinny, demeure inséparable.

Georges Troisfontaines régale ses équipes, qu'il invite à l'accompagner dans les boîtes de nuit huppées de Bruxelles et Paris. Mais, au petit matin, il n'accompagne pas ses chevilles ouvrières qui luttent contre le sommeil face à leur table à dessin...

Tape-Dur et P'tit René dessinés par Bébert
ou, pour le dire autrement, Jean-Michel Charlier
et René Goscinny croqués par Albert Uderzo pour un dessin
paru dans *Pilote*. « *Lorsque Jean-Michel Charlier est venu
vivre à Paris, avec René Goscinny, nous formions un trio.
Nous nous entendions à merveille.* » Albert Uderzo

Un trio d'auteurs de BD s'invite
le temps d'une caricature signée Albert Uderzo.
De gauche à droite, en arrière-plan, on reconnaît
Eddy Paape, Victor Hubinon et Jean-Michel Charlier.

Aussi fier que Laplaque à bord de son «bolide», voici Al Uderzo au volant de sa première voiture, une Simca 5 qui file à 80 km/h...
A condition de ne pas l'utiliser face au vent !

En route pour rejoindre le bateau qui les mènera en Amérique, Luc, Laplaque et Alphonse rencontrent dans le train
« un copassager à l'aspect américain », comme précisé par Goscinny dans son scénario. Le jeune homme a finalement les traits de Morris,
le créateur de *Lucky Luke*, que Goscinny a rencontré lors de son séjour aux États-Unis, et pour lequel il écrit des scénarios
des aventures de « l'homme qui tire plus vite que son ombre ».

Jean Hébrard, Jean-Michel Charlier, René Goscinny, Albert Uderzo et Yvan Chéron s'invitent dans une case, parmi d'autres amis de la World Press, pour célébrer les héros Luc et Laplaque.

La bande de jeunes gens talentueux qui fournit la World Press en contenus ne sait pas encore qu'elle est destinée à révolutionner le monde de la bande dessinée. Pour l'instant, elle forme surtout un « gros tas de chouettes copains » pas avare de canulars en tous genres. Le spécialiste ? Jean-Michel Charlier ! Si, en tant que scénariste, il s'affirme comme un spécialiste du récit réaliste, dans la vie, le gagman, c'est lui. René Goscinny et Albert Uderzo comptent bien sûr parmi les cibles privilégiées de son goût pour les farces : « *Dès que je m'absente un court instant, je retrouve ensuite quelques croquis ajoutés sur ma planche, que la morale réprouverait si je ne prenais garde à les effacer avant le départ pour l'impression* », raconte le dessinateur. « *Une autre fois, tandis que René tape un texte à la machine, il voit sa lampe de bureau qui s'éteint puis qui se rallume, etc. Il ne comprend pas le phénomène bien sûr. Alors il cherche sous sa lampe, regarde sous son bureau puis finit par comprendre qu'il y a une facétie dans l'air. Il commence à maugréer en direction de Jean-Michel qu'il connaît pour ce genre de blagues. Celui-ci [...] ne peut contenir ses rires[9].* » Ce qui n'empêche pas le dit gagman d'accumuler les heures d'un travail acharné, comme toute la bande, ne quittant pas son bureau de l'aube au crépuscule. Mais labeur et clins d'œil aux copains ne sont pas incompatibles, et les caricatures des amis abondent dans les bandes de *Luc Junior*.

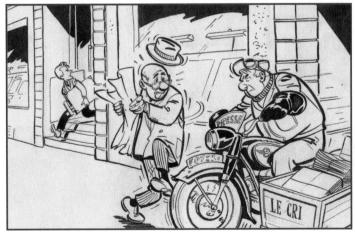

À tout seigneur, tout honneur ! Les apparitions des créateurs de la série forment un vrai fil rouge depuis la 1ère case, quand Uderzo vient remettre ses planches à la rédaction du *Cri*, jusqu'à la toute dernière, où le duo est renvoyé sans ménagement !

9 *Albert Uderzo se raconte*, Albert Uderzo, Stock, 2008

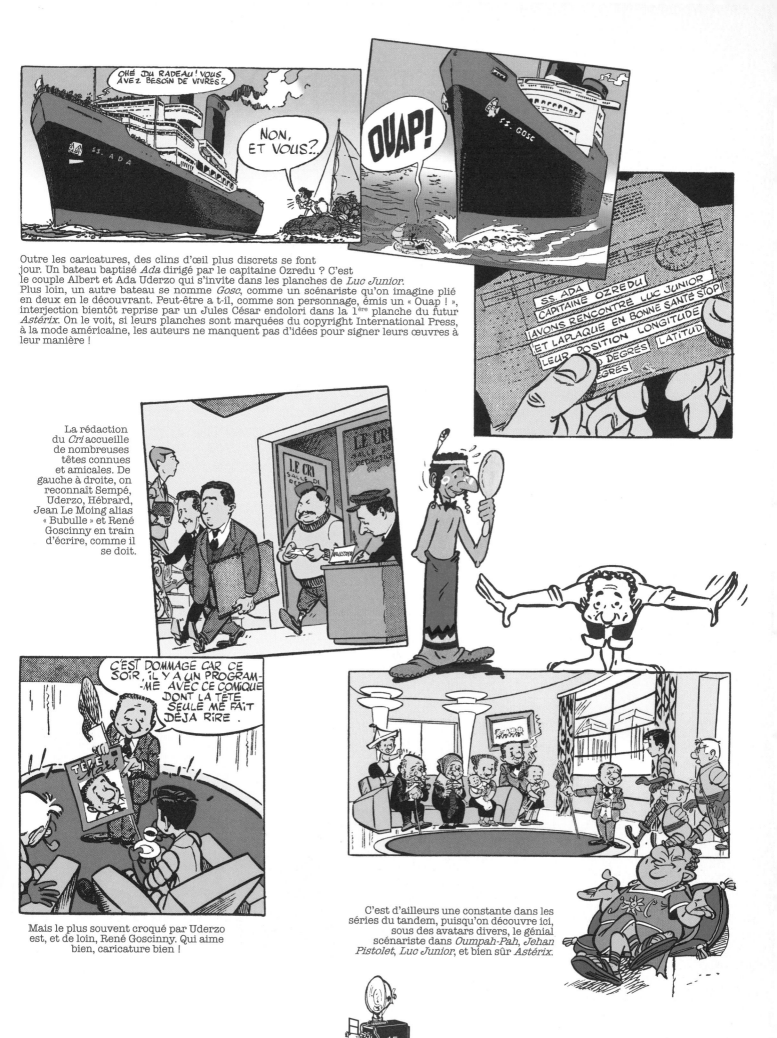

Outre les caricatures, des clins d'œil plus discrets se font jour. Un bateau baptisé *Ada* dirigé par le capitaine Ozredu ? C'est le couple Albert et Ada Uderzo qui s'invite dans les planches de *Luc Junior*. Plus loin, un autre bateau se nomme *Gosc*, comme un scénariste qu'on imagine plié en deux en le découvrant. Peut-être a t-il, comme son personnage, émis un « Ouap ! », interjection bientôt reprise par un Jules César endolori dans la 1ère planche du futur *Astérix*. On le voit, si leurs planches sont marquées du copyright International Press, à la mode américaine, les auteurs ne manquent pas d'idées pour signer leurs œuvres à leur manière !

La rédaction du *Cri* accueille de nombreuses têtes connues et amicales. De gauche à droite, on reconnaît Sempé, Uderzo, Hébrard, Jean Le Moing alias « Bubulle » et René Goscinny en train d'écrire, comme il se doit.

Mais le plus souvent croqué par Uderzo est, et de loin, René Goscinny. Qui aime bien, caricature bien !

C'est d'ailleurs une constante dans les séries du tandem, puisqu'on découvre ici, sous des avatars divers, le génial scénariste dans *Oumpah-Pah*, *Jehan Pistolet*, *Luc Junior*, et bien sûr *Astérix*.

15

LES STAKHANOVISTES

En voyant les photos des auteurs accompagnant Georges Troisfontaines dans ses virées nocturnes, on se demande comment l'équipe de la World Press pouvait raisonnablement garnir les pages des journaux qu'elle comptait parmi ses clients. Or, précisément, la quantité de réalisations de Goscinny et Uderzo, ensemble ou séparément, est tout bonnement impressionnante. « *De cette époque, je garde surtout le souvenir d'un travail gigantesque* » raconte René Goscinny. « *J'ai fait des bandes avec des tas de gens, mais j'en oublie la plupart ! Et pas mal de textes, nouvelles, articles hebdomadaires pour* Le Moustique*, ainsi que des rubriques dans* Bonnes Soirées*, avec Uderzo, notamment une rubrique de savoir-vivre qui restera pour nous un souvenir impérissable[10] !* » Et, en effet, Albert Uderzo s'en souvient toujours : « *Il s'agissait de dessins sur la politesse, des thèmes traités de façon complètement absurde. C'était tellement aberrant que nous avons trouvé ça drôle[11] !* » La rubrique « *Qui a raison ?* », guide des bonnes manières en société, leur offre d'ailleurs leur première publication commune, en décembre 1951. Mais l'aventure tourne court : « *J'ai eu l'audace de représenter une femme avec un très léger décolleté, suffisant pour que Dupuis me demande de dessiner un col fermé. J'ai laissé tomber...* » explique Uderzo. Quant à Goscinny, à la question angoissée d'une lectrice qui souhaitait savoir comme elle devait asseoir à sa table un évêque, un PDG, un général et un académicien, il répondit « *le cul sur une chaise, c'est plus confortable[12]* », clôturant sur ce coup d'éclat sa participation à la rubrique !

Ce qui ne réduit pas sa charge de travail puisque, en quelques années, il rédige des scénarios pour, entre autres, Sempé, Franquin, Jijé, Macherot, Will, Morris, Attanasio, De Moor, Hubinon, Berck, Rol, Tibet, Weinberg... et bien sûr Uderzo, qui l'accompagne dans les styles les plus divers. De l'humoristique (*Jehan Pistolet*, *Luc Junior*, *Benjamin et Benjamine*) au réaliste (*Bill Blanchart*). En ces années au rythme de travail insensé, les deux amis développent une méthode de création, une rigueur dans l'exécution, qui leur serviront toutes leurs carrières durant. Uderzo, capable de réaliser jusqu'à 9 planches en une semaine, dans les styles les plus divers, et Goscinny, enchaînant aux commandes de sa fidèle machine à écrire, la *Keystone Royal* ramenée des États-Unis, des tranches de deux heures, sonnées par son réveil fétiche, consacrées consécutivement, par exemple, à la rédaction d'un scénario d'*Astérix* suivie de celle d'un texte pour *Lucky Luke*. Si les deux amis sont toujours des passionnés de bandes dessinés, ils sont désormais également des professionnels aguerris. Plus que jamais, leur tandem est prêt à faire des étincelles !

Simple messager au début de ses aventures, Luc Junior, promu reporter, devient rapidement un virtuose de la machine à écrire, à la manière de son scénariste René Goscinny.

10 *Les Cahiers de la Bande Dessinée* n°22, 1973
11 *Uderzo – L'Intégrale 1951 – 1953*, Alain Duchêne et Philippe Cauvin, Éditions Hors Collection / Éditions Albert René, 2014
12 *Goscinny*, Marie-Ange Guillaume, Seghers, 1987

FARPAITEMENT! MACHIN A RAISON *Hips!*

Qui a raison?

P.102

M. et Mme Dupont font la connaissance, chez des amis communs, de M. Dussol. M. Dupont offre des cigarettes à Mme Dupont et à M. Dussol, en prend une lui-même, et allume les trois cigarettes avec la même allumette. Mme Dupont lui jette un regard de reproche, mais M. Dupont hausse légèrement les épaules. « Stupide superstition », pense-t-il.

Croyez-vous que Mme Dupont avait raison de reprocher l'attitude de M. Dupont ?

M. DUPONT. ☐   **Mme DUPONT.** ☐

Ce petit incident a lancé maintenant M. Dupont sur une violente accusation des superstitions. M. Dussol est un peu étonné de la véhémence de son interlocuteur. Mme Dupont écoute, mais ne semble pas approuver le sujet ni le ton de la conversation de son mari. Cependant, M. Dupont juge qu'il a le droit d'exprimer ses opinions quelles qu'elles soient. Pensez-vous qu'il ait raison ?

M. DUPONT. ☐   **Mme DUPONT.** ☐

Mettez une croix dans les cases qui vous semblent correspondre aux réponses exactes, et voyez les solutions en page 41.

(Réponse) LES DUPONT.

SUPERSTITION. — Mme Dupont a raison. Ne pas vouloir allumer trois cigarettes avec la même allumette n'est qu'une superstition, il est vrai, mais c'est une superstition qui est devenue pour beaucoup une règle de politesse.

DISCUSSION. — M. Dupont a tort de se lancer avec violence dans des sujets dangereux avec quelqu'un qu'il connaît à peine. Si vous ne connaissez pas bien la personne à laquelle vous vous adressez, évitez de parler de politique, de convictions, de nationalités.

Vous avez droit à vos opinions, mais vous n'avez pas le droit de froisser sans raison un interlocuteur. C'est la base même de la politesse.

La rubrique « Qui a raison ? »,
dans le journal *Bonnes Soirées*, fait de Goscinny et Uderzo des experts en savoir-vivre malgré eux...
Ils se rattraperont plus tard en inventant deux Gaulois peu au fait des bonnes manières en société !

Les outils de travail fétiches
de René Goscinny : sa machine à écrire,
ramenée des Etats-Unis, et le réveil, offert
par Ehapa, l'éditeur d'*Astérix* en Allemagne.

Photos : Olivier Pirard

17

TINTIN SINON RIEN

Au-delà des censures diverses et variées dont les commanditaires des travaux de Goscinny et Uderzo peuvent être responsables, leurs demandes témoignent d'une volonté « créative » bien connue : se contenter de refaire, encore et toujours, ce qui marche déjà. Or, dans la presse belge des Trente Glorieuses naissantes, le succès du *Petit Vingtième*, qui a décroché la lune avec les *Aventures de Tintin* signées Hergé, fait rêver. Sur ce modèle, le quotidien wallon *La Libre Belgique* crée un supplément jeunesse du jeudi, *La Libre Junior*. Feuillet recto verso détachable du journal grand format, il représente, une fois replié, 8 pages pensées pour les plus jeunes lecteurs. Le trio vedette de la World Press, constitué de Charlier, Goscinny et Uderzo, est aux commandes. Depuis 1952, les deux derniers publient chaque semaine dans *La Libre Belgique* une planche de *Jehan Pistolet*, en plus de textes et dessins pour des récits illustrés tels que *Les Enfants héroïques*. Cette fois, Yvan Chéron leur confie le vaisseau maître : la création des aventures du personnage vedette du journal, destiné à l'incarner auprès de jeunes lecteurs qu'on imagine prompts à s'identifier à lui. En résumé, *La Libre Belgique* ne veut rien moins que son *Tintin* !

Ravis de figurer chaque semaine en une du supplément, les deux auteurs rechignent toutefois à coller aux basques d'Hergé et rêvent de créer une série plus personnelle. **« Après avoir rencontré le créateur de Tintin, j'étais impressionné par le bonhomme ; quand on m'a dit les tirages de ses albums, il y avait de quoi ! »** raconte Albert Uderzo. Mais **« chose curieuse, je n'ai appris l'existence [...] de Tintin que lorsque je suis arrivé en Belgique, ce qui est vraiment tardif ! À ce moment-là, on m'a dit « au moins, vous, vous n'avez pas le style français ! »** Quand il s'enquiert de ce qu'est ce « style français », on lui répond que c'est le plus mauvais ! **« Alors que, pourtant, j'estime que le style d'Hergé était très marqué par celui de quelques prédécesseurs français : Bécassine, par exemple[13] »** explique-t-il. Quant à René Goscinny, débordant comme toujours d'idées lui permettant de développer son style inimitable, on se doute que « dupliquer » *Tintin* le réjouit peu. Ce qui n'empêche pas notre génial tandem de réaliser, de 1954 à 1957, à raison d'une par semaine, 157 planches déroulant 7 aventures virevoltantes et hilarantes réunies pour la première fois dans cet album.

Tout en respectant la commande jusque dans les détails (un jeune reporter flanqué d'un adulte bourru et d'un chien, une expédition sur la lune, un jeune Maharadjah digne du petit Abdallah de *Tintin au pays de l'or noir*...), ils s'en émancipent, en en détournant les codes, en dévoilant leur propre style humoristique débridé, et en jetant les bases de leurs œuvres à venir. Quelques années plus tard, avec le succès d'*Astérix*, ils pourront, lors d'une émission de télévision animée par Pierre Tchernia en 1969, s'amuser avec Hergé en personne des mérites comparés des écoles belges (Marcinelle, Charleroi...) et des fantaisistes « école de la Muette » et « école de Neuilly », lieux de résidences respectifs de nos turbulents auteurs. On le voit, loin de se cantonner à la reproduction d'un succès passé, Goscinny et Uderzo ont commencé à inventer avec *Luc Junior* une nouvelle façon de faire de la bande dessinée qui, bientôt, incarnera ce « style français » qu'Albert ne pouvait décrire à son arrivée en Belgique !

Hergé, Tibet et Uderzo : rencontre au sommet lors d'un anniversaire du journal *Tintin*.

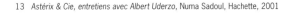

13 *Astérix & Cie, entretiens avec Albert Uderzo*, Numa Sadoul, Hachette, 2001

Dès les premières esquisses de personnages signées Albert Uderzo,
la commande est honorée : un jeune homme, un aîné bourru, et un animal de compagnie :
le trio maître de *Tintin* est reconduit à la mode Goscinny / Uderzo !
Seule différence notable, au traditionnel chien se substitue un ourson...
finalement remplacé par le chien Alphonse ! Albert et René feront malgré tout
revenir cet animal sympathique dans les deux dernières aventures de *Luc Junior*.
C'est qu'ils sont têtus, ces auteurs !

OBJECTIF UNE

Nous sommes le 7 octobre 1954 et, pour Luc Junior, c'est le grand jour ! Annoncé en une de *La Libre Belgique*, le journal des « grands », le nouveau héros s'inscrit également en vedette du supplément jeunesse. D'abord, le visage du jeune homme, dont le patronyme rejoint le « *Junior* » du titre de l'hebdomadaire, s'affiche en haut de page, dans une têtière dessinée par Albert Uderzo. Surtout, ses aventures occupent chaque semaine la première page, affirmant ainsi le rôle de personnage clef tenu par le jeune reporter auprès des lecteurs. Une fonction confirmée par l'édito, qui présente le petit nouveau en ces termes : « Junior, voilà un copain qui va vous plaire ! [...] Junior sera d'ailleurs plus qu'un copain. Junior sera si proche des petits et des grands que chacun aura l'impression de vivre les propres aventures de notre héros. » Un principe parfaitement retranscrit par les auteurs, et ce dès la première planche. Monsieur Bonbain, le directeur du journal *Le Cri*, y promeut le jeune homme reporter, après avoir fait le constat qu'il a plus d'idées que les « professionnels de la profession », blasés du journalisme, qui occupent ses bureaux. La réalité rejoint la fiction puisque, bientôt, Luc Junior intervient dans les pages du journal en répondant aux questions des lecteurs dans sa rubrique

consacrée « à tous les amis de Junior ». Mieux, il leur dévoile les coulisses de leur illustré, en leur donnant notamment une savoureuse leçon sur le travail de scénariste : « A première vue, cela paraît très simple. Mais attention ! Si vous envisagez de devenir un jour scénariste, songez bien qu'il faut constamment trouver des nouvelles idées, et des idées ORIGINALES ! On ne peut évidemment puiser ailleurs – fût-ce même à l'étranger – les idées d'un nouveau scénario. » Au temps pour ceux, à commencer par Goscinny et Uderzo, qui avaient compris qu'on leur demandait de faire un sous-*Tintin*…

En attendant l'hypothétique intervention d'une police du scénario, le journal joue à fond sur ce personnage qui incarne ses pages jeunesse, et en définit par ses actes les valeurs. D'ailleurs, planche après planche, son patron ne cesse d'appeler son héros « Junior », également titre du supplément, omettant toujours son prénom Luc. Quant à ses valeurs, elles sont précisées dans l'édito : « J'espère maintenant qu'il passionnera tous ceux d'entre vous qui nous ont demandé de créer ce nouveau personnage, petit garçon tout simple, courageux et travailleur. Un garçon comme beaucoup d'entre vous. » Et d'ajouter : « Aujourd'hui, 7 octobre, est une grande date pour *La Libre Junior* ! ».

La Libre Junior

SUPPLEMENT A **LA LIBRE BELGIQUE** DU JEUDI 29 NOVEMBRE 1956   N° 48

Luc Junior chez les Paspartos

Présentes chaque jeudi en une du supplément jeunesse de *La Libre Belgique*, les *Aventures de Luc Junior* s'adaptent au format de l'hebdomadaire. Les planches sont ainsi réalisées sur 3 et non 4 bandes, comme c'est traditionnellement le cas, et notamment dans *Oumpah-Pah* et *Astérix*. De plus, les contraintes d'impressions du journal font qu'elles sont publiées en deux couleurs, ou bichromie. Pour la première fois dans cette intégrale, l'ensemble des 7 aventures de Luc Junior est présenté en quadrichromie !

Jacques Junior
Luc Junior

Les traits des personnages se précisent, avec de premiers essais d'encrage. Albert Uderzo invente en quelques coups de crayons une ligne claire qui ne sacrifie pas aux gros nez ! De premiers essais de lettrages et de coloration sont également réalisés. Ils aboutiront, notamment, à la têtière de la une de *La Libre Junior*.

Dans cette planche originale qui multiplie cadres secondaires (hublots, « téléfission »...),
Goscinny et Uderzo offrent une relecture décapante du voyage sur la Lune du héros à la houppe.
Avec, comme toujours, ce génie des accents, des jeux de mots et du comique de situations
qui feront bientôt l'immense succès d'*Astérix*.

LUCKY LUC JUNIOR

Luc Junior est maintenant solidement installé dans les pages du journal, et enchaîne ses aventures à un rythme fou. *« On a fait 7 épisodes entre 1954 et 1957 »* rappelle Albert Uderzo. *« Des épisodes relativement courts : on n'était pas tenus par un album, donc on faisait un peu ce qu'on voulait [14]. »* Cette cadence effrénée s'inscrit jusque dans les vignettes. A chaque coin de case, le mouvement s'invite : un deux-roues file livrer le journal, le chien Alphonse s'agite, un jeune livreur de journaux sursaute, Luc Junior se précipite… Les scénarios et les planches sont empreints des attributs d'une jeunesse auxquelles ils sont destinés et témoignent d'une époque tournée vers un avenir qui s'annonce prometteur. Uderzo excelle déjà pour donner du mouvement à ses dessins. Goscinny trouve lui, comme toujours, le génial décalage, source de gags infinis, imaginant pour accompagner son héros un Laplaque (photographe, comme il se doit, et dont le métier consiste donc à figer le mouvement), éternellement ralenti par sa voiture archaïque, qui « fait des pointes de trente-cinq à l'heure », et à laquelle il s'accroche amoureusement comme à un refuge de lenteur en ce monde de vitesse. En somme, un Laplaque à côté de la plaque en cet univers de jeunesse aventurière, un mécanique plaqué sur le vivant trépidant qu'est Luc Junior pour gagner le rire des lecteurs !

L'imagination débridée du scénariste, et la science calligraphique d'Uderzo dans la transcription des onomatopées, permettent au duo d'ajouter le son à l'image. Dans un journal qui se nomme *Le Cri*, le directeur se doit de se faire entendre. Bonbain le fait, et de quelle manière ! Ponctuant ses élans d'enthousiasme d'un « INOUI ! » retentissant, il hurle après Junior et Laplaque pour les lancer à l'aventure. Une sorte de lointain cousin du Dubruit de *Modeste et Pompon*, que Goscinny invente peu après, le temps de quelques gags écrits pour la série de l'ami André Franquin. Si ses deux auteurs n'ont longtemps vu en *Luc Junior* qu'un galop d'essai, force est de constater que la complémentarité du tandem y apparait déjà avec éclat, et que tous les ingrédients du futur succès d'*Astérix* sont déjà en place.

Déjà maître des jeux de mots, René Goscinny invente les jeux de sons, convoquant jusqu'au chien Alphonse pour mettre un point d'orgue à son gag symphonique !

14   *Astérix & Cie, entretiens avec Albert Uderzo*, Numa Sadoul, Hachette, 2001

Cette planche originale de *Luc Junior en Amérique* témoigne du génie du mouvement des dessins d'Albert Uderzo.
Personnages s'échappant des cases (Alphonse en case 1, un pied en case 4, Mr Dupont en case 7), traits cinétiques,
interjections signalant la surprise, lignes courbes venant rythmer la composition...
La tension monte jusqu'au sommet constitué par la case finale où triomphe une course poursuite digne du meilleur cinéma d'action.
La construction d'ensemble met également en valeur la case 5, qui dévoile l'information principale de la planche, le repérage
de Dupont par Luc... Pas de doutes : le tandem Goscinny / Uderzo a de l'avenir !

MARS ATTAQUE

Yvan Chéron, qui dirige la société International Press, fournisseur de contenus pour la presse quotidienne belge, a, on l'a vu, convaincu Goscinny et Uderzo de créer *Luc Junior*, afin d'offrir à *La Libre Belgique* « son » *Tintin*. **« Nous avons, René et moi, créé ce personnage sur commande,** explique Albert Uderzo. *Je spécifie « sur commande » car le personnage est un jeune reporter, accompagné d'un photographe de presse, nommé Laplaque, qui a un rôle de faire-valoir. Ils sont suivis d'un chien d'une race incertaine : le succès de* Tintin *inspire beaucoup[15]. »* Après un coup d'œil rapide sur certaines intrigues, avec notamment un fils de Maharadjah à qui l'on passe tout et un voyage dans une fusée spatiale, on imagine Chéron motivant ses troupes à contenter le client, lançant des idées avec son accent liégeois qui réjouit le parigot Uderzo. Le dessinateur et ami Martial, se souvenant de cette époque explique que *« l'homme était parfois indécis, et nous incitait, Uderzo et moi, à changer de format en cours de série… Ce n'était pas toujours facile[16]. »*
Il en faut plus pour briser l'élan créatif de Goscinny et Uderzo qui font de cette contrainte une stimulation. Car, dans les détails, les différences avec le modèle sont remarquables, et témoignent d'un style très

personnel. Voyez Alphonse, par exemple. Ce chien « de race indéterminée » (comme le sera plus tard Idéfix), troque la perfection d'un Milou pour un pédigrée digne de l'humour de Goscinny, avec une caractéristique hilarante pour un préposé au flair : souffrant d'un rhume chronique, il n'a pas d'odorat ! Le fils du Maharadjah de Brahmablabla, le prince Gabarit (logiquement désigné par les périphrases « sa Hauteté sérénissime » par son fakir ou « Votre Longitude » par un Laplaque soucieux de respecter le format), s'il rappelle le petit Abdallah de *Tintin au pays de l'or noir*, précède surtout le futur Iznogoud par la virulence de ses dialogues. « Mon père va vous faire rôtir les pieds… Il va vous arracher les cheveux un par un… Il va vous plomber les dents avec du plomb fondu… » Tout un programme !

Si « le Martien » était le surnom donné à Morris par René Goscinny, ce sont bien les traits d'Yvan Chéron qu'on reconnaît ici chez tous les Martiens de *Luc Junior*.

15 *Albert Uderzo se raconte*, Albert Uderzo, Stock, 2008
16 Entretien avec Martial par Patrick Gaumer

Planche originale, crayonnée et encrée par Albert Uderzo, de *Luc Junior chez les Martiens*. « Tiss, neuve, houid… »,
serrez les ceintures en prévision du décollage !

Plus que *Tintin*, on devine aux sources des *Aventures de Luc Junior* les influences traditionnelles de Goscinny et Uderzo. A commencer par le cinéma, que tous deux fréquentent assidûment. Ainsi, difficile de ne pas penser à *Fenêtre sur Cour*, d'Alfred Hitchcock, sorti quelques mois plus tôt, à la lecture de *Luc Junior et les bijoux volés*. L'actualité est elle-aussi une source d'inspiration intarissable. L'argument de *Naufragé volontaire*, dont voici une planche originale crayonnée et encrée par Albert Uderzo, rappelle ainsi le périple en solitaire d'Alain Bombard à bord d'un canot pneumatique, qui fit la une des journaux en 1952.

Des détournements plus discrets de la série modèle apparaissent également… Subtilement, aux indissociables Dupondt d'Hergé, sont substitués trois Jean Dupont, rebaptisés respectivement Al Mitrailleto, Ted Mac Loughlin et Tchaïchéoutchipoumkaïkaïtchen ! Pour Chéron, tout s'annonce bien avec le début de la 6ème aventure, *Luc Junior chez les Martiens*, qui laisse augurer d'un voyage spatial façon *Objectif Lune*. Bien sûr, les auteurs affirment leur style : *« ma fusée à moi n'avait rien de commun avec celle de* Tintin, *raconte Uderzo, elle s'appuyait sur de grandes pattes et se lançait avec celles-ci sur Mars. Sur Mars, tous les autochtones, hommes ou femmes, avaient la tête de [Chéron]. Evidemment, quand c'est paru dans le journal, il a essuyé les quolibets de tous les gens qu'il rencontrait – « Ah, vous êtes marrant, vous êtes un Martien ! » - et il l'a pris très mal*[17] ! En urgence, Goscinny modifie son scénario,

cas unique dans sa collaboration avec Uderzo. *« René a eu l'idée qui sauve, poursuit son ami, il a repris les personnages et les a fait aller sur l'autre face de la planète Mars, et là, tous les Martiens ont la tête de René Goscinny*[18] *! »* Soumis à la contrainte, les deux auteurs ont affirmé leur liberté de créer. Ce que confirme un rapide regard sur l'évolution des intrigues de la série. Les derniers épisodes, situés successivement dans une prison, dans une jungle en folie, chez les Martiens et en plein milieu de l'océan, voient leurs héros s'éloigner du monde civilisé tandis que leurs auteurs s'émancipent. Faisant de leur série une naufragée volontaire à la manière de Luc Junior et Laplaque, Goscinny et Uderzo ont devant eux l'horizon d'une création personnelle. D'ici deux ans, ils fonderont le journal *Pilote* et, bénéficiant cette fois d'une véritable carte blanche, créeront *Astérix*, qui a rejoint depuis longtemps *Tintin* au Panthéon de la bande dessinée.

Suite à la colère de Chéron, Goscinny invente les « Martiens des villes » auxquels il suggère à son ami Albert de donner son apparence. Une vraie leçon de sens de l'humour !

---

17 *Astérix & Cie, entretiens avec Albert Uderzo*, Numa Sadoul, Hachette, 2001
18 Idem

29

UN IRRÉDUCTIBLE HUMOUR

A priori, rien de commun entre *Luc Junior* et *Astérix*. La première série est au départ pensée comme un décalque de *Tintin* quand la seconde s'affirme en allant à l'encontre des codes établis dans le bande dessinée des années 50. Pour ses créateurs, qui ont enfin carte blanche pour créer les bandes qui s'accordent à leurs desseins, *Astérix* doit se fonder sur des choix audacieux. Le personnage clef sera donc un anti-héros, un « nabot » qui fera immédiatement « marrer » plutôt que d'inviter les lecteurs à s'identifier à lui. A ses côtés, nul faire-valoir ou animal de compagnie mais du gag, du gag et encore du gag ! Pourtant, à y regarder de plus près, *Luc Junior* fait plus penser aux prémices d'*Astérix*, dont il partage le génie humoristique, qu'à un cousin de *Tintin*.

Le rire comme propre du meilleur ami de l'homme

Alphonse et Idéfix : un chien vaut mieux que deux tu l'auras !

A priori, Alphonse et Idéfix n'ont rien de commun. L'un est grand, l'autre petit ; le premier est farfelu, maladroit et imprévisible, le second est malin, déterminé et obstiné. Mais ces deux chiens « de race indéterminée », comme l'indiquent les scénarios de Goscinny, partagent de nombreux points communs.

Les transports de messages

Les histoires d'os

Laplaque et Obélix : gags en gros

Les héros Luc Junior et Astérix sont tous deux accompagnés d'un compagnon « un peu enveloppé », le photographe Laplaque pour le premier, et naturellement Obélix pour le second. Ces fidèles acolytes partagent une gourmandise contrariée par une interdiction de consommation. Si la potion magique est défendue à Obélix par un Panoramix intransigeant, car il est « tombé dans la marmite du druide quand il était petit », c'est le café au lait qui se refuse à Laplaque ! Aucune proscription formelle ne l'empêche de goûter sa boisson préférée, symbole de ces moments de calme auxquels il aspire sans cesse, mais Laplaque finit toujours, en running-gag, la tête dans le bol, secoué par l'appel d'une nouvelle aventure !

Bonbain et Langélus : espèces de sons !

Le directeur du *Cri* sait se faire entendre, c'est le moins qu'on puisse dire ! C'est d'ailleurs lui qui est le plus souvent la cause des accidents de café au lait de Laplaque. De son côté, le centurion Langélus, dans *Le Combat des chefs*, ne peut s'empêcher de sonner les cloches de ceux à qui il s'adresse. A coup sûr, une discussion entre ces deux-là briserait le mur du son !

Gabarit, Cléopâtre et Pépé : le sens de la démesure

Le fils du richissime Maharadja de Brahmablabla, le petit Gabarit, sait se faire remarquer, dans un style rappelant tout à la fois Cléopâtre et le jeune Ibère Pépé Soupalognon y Crouton.

Les vieux de la vieille

Pendant que la jeunesse s'agite, le 3ème âge commente. Un constat valable dans *Luc Junior en Amérique* comme dans *Astérix en Corse*.

Des fusées en forme de pied de nez

Quand les Martiens s'invitent dans *Luc Junior* et *Astérix*, les fusées prennent leurs jambes à leurs cous pour s'envoler !

Un appel lancé par le tonitruant Bonbain, et c'est une nouvelle aventure qui s'annonce pour nos héros dans cette planche originale crayonnée et encrée par Albert Uderzo.

GOSCINNY ET UDERZO
PRÉSENTENT
UNE AVENTURE DE LUC JUNIOR

ET LES BIJOUX VOLÉS

Texte : René Goscinny
Dessins : Albert Uderzo

LES ÉDITIONS ALBERT RENÉ
26, AVENUE VICTOR HUGO 75116 PARIS.
www.asterix.com

Les planches de *Luc Junior et les bijoux volés*
ont été publiées dans *La Libre Junior* **du 7 octobre 1954 au 3 mars 1955.**

"LE CRI"
LE JOURNAL DES REPORTAGES INOUIS ET DES NOUVELLES SENSATIONNELLES

1er Étage
DIRECTION, RÉDACTION ADMINISTRATION

2ème Étage
PUBLICITÉ GÉNÉRALE, SERVICE TECHNIQUE

NOUS N'AVONS AUCUN REPORTAGE INTERESSANT!!! NOUS AVONS LES NOUVELLES APRÈS LES AUTRES!! LE "CRI" N'EST MÊME PLUS UN MURMURE!!!

MAIS MONSIEUR BONBAIN, JE VOUS ASSURE MONSIEUR BONBAIN...

SALLE DE RÉDACTIO

C'EST UNE HONTE!! IL N'Y AURA DONC AUCUN D'ENTRE VOUS QUI AURA UNE IDÉE?!!

UN REPORTAGE SUR LA CULTURE DES CONCOMBRES?...

LA FABRICATION DES TIRE-BOUCHONS?

PEUT-ÊTRE UN LONG VOYAGE D'EXPLORATION?

ASSEZ!!

REGARDEZ CELUI-LÀ ! JE L'ENVOIE FAIRE UN REPORTAGE DANS L'AMAZONE ET TOUT CE QU'IL RAPPORTE, C'EST UN RHUME!!!

C'EST BAS DE BA FAUDE JE SUIS TOMBÉ DEDANS!

MOI J'AI UNE IDÉE MONSIEUR BONBAIN...

VOUS VOYEZ! MÊME LE MESSAGER A PLUS D'IDÉE QUE VOUS!!!

MON IDÉE Mr BONBAIN, SERAIT DE FAIRE UN REPORTAGE SUR UNE SEMAINE DANS LA VIE D'UN PHOTOGRAPHE DE PRESSE...

HMMMM... PAS MAUVAISE TON IDÉE JUNIOR. ÇA POURRAIT INTÉRESSER LES LECTEURS...

J-1

PARFAIT JUNIOR! JE TE PRENDS À L'ESSAI COMME REPORTER. VA VOIR JEAN LAPLAQUE; TU FERAS TON REPORTAGE SUR LUI!..

MONSIEUR LAPLAQUE...JE SUIS CHARGÉ PAR Mr BONBAIN DE FAIRE UN REPORTAGE SUR VOUS...

UN REPORTAGE SUR MOI!!??

ET JE NE DOIS PAS VOUS LÂCHER D'UNE SEMELLE PENDANT UNE SEMAINE!..

VPOC!

ON VA VOIR CE QU'ON VA VOIR! MILLE MILLIONS DE TÉLÉOBJECTIFS!!!

DIS DONC BONBAIN! QU'EST-CE QUE C'EST CETTE HISTOIRE DE REPORTAGE?!

J. BONBAIN
PROPRIÉTAIRE-DIRECTEUR-GÉNÉRAL-RÉDACTEUR EN CHEF

AH! JE VOIS QUE TU ES AU COURANT DE L'IDÉE DE LUC JUNIOR

ME FAIRE ÇA, À MOI!.. TON PLUS VIEUX COLLABORATEUR!.. M'AFFUBLER D'UN GAMIN!...

L'IDÉE EST BONNE...LES LECTEURS SERONT INTÉRESSÉS À VOIR CE QU'EST LA VIE D'UN PHOTOGRAPHE DE PRESSE DE GÉNIE...

BAH! DES FLATTERIES!

HMMMM... JE VAIS DONNER UNE LEÇON À CE JEUNE PRÉTENTIEUX...IL SE FATIGUERA PLUS VITE QUE MOI!!!

AL UDERZO
TEXTE GOSCINNY

J.2

36

SUIVEZ-MOI MON CHER REPORTER, POUR NOTER LA SUITE DE MES ACTIVITÉS DONT VOUS ÊTES LE TÉMOIN VISUEL...

OUI MONSIEUR!

CHAMBRE NOIRE

JE DÉVELOPPE LES PHOTOS, VOUS VOYEZ ?...

HEU...

PLUS TARD...

...ET FINALEMENT JE VOUS DONNE LES PHOTOS DE BÉGONIAS, BONSOIR !...

BONSOIR MONSIEUR LAPLAQUE.

JE N'AI PAS ENVIE DE JOUER ALPHONSE... MONSIEUR LAPLAQUE N'A PAS L'AIR DE NOUS PRENDRE AU SÉRIEUX

SI JE POUVAIS TROUVER UN MOYEN D'INTÉRESSER MONSIEUR LAPLAQUE...

OH!!!

VITE ALPHONSE !... CHEZ MONSIEUR LAPLAQUE !..

MONSIEUR LAPLAQUE! MONSIEUR LAPLAQUE! RÉVEILLEZ-VOUS !... LA PHOTO! LA PHOTO !..

HEIN !... HMMMFFFF !!! QUOI ?...

J. 4

38

ET NE ME DÉRANGEZ PLUS!

VLAN!

C'EST DOMMAGE... IL Y A LÀ SÛREMENT MATIÈRE À UN REPORTAGE EXTRAORDI-NAIRE QUI PLAIRAIT À Mr BONBAIN...

OUAIS...

OUAH...

NOUS REVIENDRONS CETTE NUIT... À MINUIT!... NOUS ENTRERONS DANS LA MAISON, IL Y A QUELQUE CHOSE DE LOUCHE DANS CETTE HISTOIRE!

HEIN?!!

PAS QUESTION, MON JEUNE AMI! C'EST BIEN TROP DANGEREUX! VOUS N'IREZ PAS DANS CETTE MAISON À MINUIT! MOI JE N'IRAI SÛREMENT PAS!...

J'IRAI TOUT SEUL!

LES JEUNES N'ÉCOUTENT PLUS LES CONSEILS DE LEURS AÎNÉS!...

PENDANT CE TEMPS, DANS LA MAISON EN QUESTION...

CONTINUONS LA RÉPÉTITION, MES ENFANTS! J'AI CHASSÉ LES IMPORTUNS!...

IL FAUT QUE NOUS SOYONS PRÊTS POUR LE GRAND COUP...... LE CAMBRIOLAGE DE LA BIJOUTERIE "RICHAMILLIONS"

ET CETTE NUIT LÀ... À MINUIT...

QUEL DOMMAGE QUE Mr LAPLAQUE AIT REFUSÉ DE VENIR...

Mr LAPLAQUE! Mr LAPLAQUE!!!

HMMMFFF! JE... ..JE PASSAIS PAR HASARD...

40

DEPUIS QUE JE SUIS MÊLÉ À CE REPORTAGE SUR LA VIE D'UN PHOTO- GRAPHE, MA VIE EST DEVENUE IMPOSSIBLE !..

ET MAINTENANT LA POLICE ET LES BIJOUTIERS SONT À NOS TROUSSES !.. J'EN AI ASSEZ, JE M'EN VAIS !

HMMMF !

HMMMF !

HMMMF ! JE NE PEUX PAS ABANDONNER AINSI UN JEUNE ÉCERVELÉ ET UN ANIMAL RETOMBÉ EN ENFANCE ....

OUAH! OUAH! HMMMFF!!! VIVE MONSIEUR LAPLAQUE !

LE COUP EST PEUT-ÊTRE POUR CETTE NUIT ! IL FAUT REPÉRER EN VITESSE LA BIJOUTERIE !..

OUI, MAIS IL FAUDRA NOUS Y PRENDRE PLUS DÉLICATEMENT CETTE FOIS-CI !..

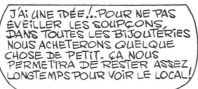

J'AI UNE IDÉE !.. POUR NE PAS ÉVEILLER LES SOUPÇONS, DANS TOUTES LES BIJOUTERIES NOUS ACHÈTERONS QUELQUE CHOSE DE PETIT. ÇA NOUS PERMETTRA DE RESTER ASSEZ LONGTEMPS POUR VOIR LE LOCAL !

AL UDERZO
TEXTE GOSCINNY

C'EST PETIT MAIS C'EST CHER !..

10.000'
5000'
1.000'

J- 15

NOUS ALLONS RÉUNIR NOS MODESTES FORTUNES POUR POUVOIR ENTRER ET FAIRE DES ACHATS DANS LES BIJOUTERIES...

TIENS! OÙ EST PASSÉ ALPHONSE?...

RÉSUMONS-NOUS : NOUS POSSÉDONS À NOUS TROIS, CENT SEPT FRANCS ET UN OS... C'EST PEU!

J'AI VU EN VITRINE DES PINCES A CRAVATE QUI NE COÛTENT PAS CHER...

NON... CETTE BIJOUTERIE NE CORRESPOND PAS À CELLE DU PLAN... ESSAYONS UNE AUTRE...

QUELQUES BIJOUTERIES PLUS TARD...

NOUS NE TROUVONS TOUJOURS PAS ...

PLUS TARD ENCORE...

TOUJOURS PAS DE RÉSULTAT!..

J.16

51

JE VAIS PRÉVENIR LA POLICE !..

NON !..

IL Y A UN PETIT MALENTENDU ENTRE LA POLICE ET NOUS... MAIS SI VOUS LE VOULEZ BIEN NOUS VOUS AIDERONS À CAPTURER LES BANDITS... ET ÇA FERA UN BEAU REPORTAGE POUR NOUS !..

EH BIEN SOIT ! PRENEZ LA DIRECTION DES OPÉRATIONS !.. CE SERA AMUSANT !..

MERCI MONSIEUR RICHAMILLIONS !..

POSTEZ VOUS DERRIÈRE CE COMPTOIR Mr LAPLAQUE.

ENCORE DES PINCES À CRAVATE !!!

ALPHONSE, DANS LE COFFRE FORT !..

OOOOOOWWW!

HEU... IL NE MANGERA PAS L'ARGENT AU MOINS ?..

MANGER ÇÀ ?.. ÇA N'A MÊME PAS D'ODEUR !..

SNIFF !

MOI, JE LES RECEVRAI... J'AI UN REVOLVER !..

MOI, JE FAIS LE GUET...

IL NE RESTE PLUS QU'À ATTENDRE !..

AL UDERZO
TEXTE GOSCINNY

CAFÉ AU LAIT

J. 18

52

... ET PENDANT QUE MOS AMIS ATTENDENT DE PIED FERME ...

...LA FAMILLE "JÉVOLE" POURSUIT SES PETITS PRÉPARATIFS...

PRÉPAREZ-VOUS MES ENFANTS, IL FAUT AGIR VITE, CES ÉTRANGERS QUI SONT ENTRÉS ICI DOIVENT ÊTRE DANGEREUX!..

C'EST VOTRE PAPA QUI SERAIT CONTENT DE VOUS VOIR!..

ALLONS-Y!.. AU TRAVAIL !

NOUS DEVONS AVOIR L'AIR D'UNE BONNE FAMILLE BOURGEOISE...

LES VOILÀ!..

J.19

CLING!

Clik!

MADAME ?...

JE VOUDRAIS VOIR DES COLLIERS DE DIAMANTS...

VOICI MADAME !..

TRÈS BIEN...

NE BOUGEZ PLUS !...
GAMIN, AU TRAVAIL!
OUVRE LE COFFRE !..

!!

ALLONS GAMIN !...
PLUS VITE !..
PLUS VITE !...

SI ON NE ME LAISSE PAS TRAVAILLER TRANQUILLE, JE M'EN VAIS, NA ! ET PUIS JE SUIS ENCORE NERVEUX DE L'HISTOIRE DU FAUVE QUI EST SORTI DU COFFRE FORT À LA MAISON !...

MAMAN!

GRRRR!

AL UDERZO
TEXTE GOSCINNY

J.20

FIN DE L'ÉPISODE

Rassemblant les aventures *Luc Junior et les bijoux volés* et *Luc Junior en Amérique*, cet album broché est publié aux Éditions I.P. Bruxelles, pour satisfaire les demandes des « amis de *Junior* ». Il s'agit de rien moins que la 1ère publication commune du tandem Goscinny / Uderzo sous forme d'album, ce qui vaut bien une dédicace de René à son ami Albert, en page de titre.

GOSCINNY ET UDERZO
PRÉSENTENT
UNE AVENTURE DE LUC JUNIOR

EN AMÉRIQUE

Texte : René Goscinny
Dessins : Albert Uderzo

LES ÉDITIONS ALBERT RENÉ
26, AVENUE VICTOR HUGO 75116 PARIS.
www.asterix.com

Les planches de *Luc Junior en Amérique*
ont été publiées dans *La Libre Junior* **du 10 mars au 11 août 1955.**

JUNIOR! LAPLAQUE!... DANS MON BUREAU!...

J. BONB...
PROPRIÉTAIR...
DIRECTEUR...
RÉDACTEUR

QUE NOUS VEUT MONSIEUR BONBAIN ?..

IL NOUS LE CRIERA LUI-MÊME...

JE VOUS PRÉSENTE MONSIEUR DITON, NOTAIRE !!!

MESSIEURS...

MESSIEURS, JE SUIS VENU VOIR VOTRE DIRECTEUR POUR LUI DEMANDER SON AIDE ET CELLE DE SON GRAND JOURNAL... JE RECHERCHE UN MONSIEUR DUPONT, JEAN DUPONT...

M: DUPONT EST LE SEUL HÉRITIER DU MILLIARDAIRE OLIVE DUPONT. OR, TOUT CE QUE JE SAIS DE JEAN DUPONT C'EST QU'IL EST PARTI DEPUIS TRENTE ANS AUX ETATS-UNIS, ET N'A PLUS JAMAIS DONNÉ SIGNE DE VIE....

MAIS ATTENTION ! SI DANS DEUX MOIS, JOUR POUR JOUR, DUPONT N'EST PAS RETROUVÉ, IL PERD SON HÉRITAGE ! C'EST OLIVE DUPONT QUI EN A DÉCIDÉ AINSI !...

ET VOILA MON IDÉE !!! C'EST JUNIOR ET LAPLAQUE QUI IRONT CHERCHER DUPONT EN AMÉRIQUE !!! ILS RAMÈNERONT DUPONT ET UN GRAND REPORTAGE ! CE SERA SENSATIONNEL !

C'EST L'HEURE, M: LAPLAQUE!.. C'EST LE JOUR DU DÉPART.!!!

HO? HUM... IL Y A ENCORE LE TEMPS.!..

MAIS... MAIS VOUS ÊTES TOUT HABILLÉ!...

HEIN?.. EUH!.. OUI... BON... PARTONS.!..

'955 V8

TRAIN TRANSATLANTIQUE
SS DÉLIVRANCE

TU VAS VOIR COMME JE ME DÉBROUILLE EN ANGLAIS...

MY UNCLE'S HAT IS SMALLER THAN MY AUNT'S GARDEN.

?!

YES, BUT MY AUNT'S NOSE IS SMALLER THAN MY UNCLE'S HEAD.

!

AL UDERZO
TEXTE GOSCINNY

J.86

63

VOILÀ UN CADRE DIGNE DE MOI !..

LE CHIEN DE MONSIEUR DEVRA VOYAGER DANS LE CHENIL DU BATEAU... C'EST LE RÈGLEMENT...

QUELLE HUMILIATION ! FAIRE ÇA À UN CHIEN JOURNALISTE !..

HÉ ! HÉ !.. LES COMPAGNONS DE VOYAGE NE SONT PAS MAL !..

HEU !.. BON, JUNIOR, SI TU VEUX, TU PEUX PRENDRE LA COUCHETTE SUPÉRIEURE

LE VOYAGE SE POURSUIT NORMALEMENT...

...AVEC UN PEU DE MAL DE MER...

LUC !!! COMMENT PEUX-TU !!??

HMMMM ?

...BIENTÔT GUÉRI...

LUC, MON ENFANT, JE VAIS T'APPRENDRE À JOUER AU SHUFFLE BOARD !..

AAAAAAH!!

MONSIEUR LAPLAQUE, VOUS VOULEZ QUE LES POISSONS APPRENNENT AUSSI À JOUER ?..

LA VIE À BORD EST UNE SUITE ININTERROMPUE DE PLAISIRS..

TRÈS BEAU, LEUR CINÉMA, MAIS JE N'APPROUVE PAS ENTIÈREMENT LE CHOIX DE LEURS FILMS...

Les AVENTURES D'UN NAUFRAGÉ

...COCKTAILS, GALAS, FÊTES, BALS, ET TOUT, ET TOUT, ET TOUT!

LUC, MON AMI, CETTE MISSION DE RETROUVER JEAN DUPONT EST FORT AGRÉABLE... ET PUIS, APRÈS TOUT, LES ÉTATS-UNIS, CE N'EST PAS TELLEMENT GRAND.!.

C'EST-À-DIRE...

...LES ÉTATS-UNIS ONT UNE SUPERFICIE DE 7.839.000 KMS. CARRÉS ET LA POPULATION EST DE 160.000.000 D'HABITANTS...

L'AMÉRIQUE EN DIX CHAPITRES

AL UDER20

TEXTE GOSONN?

J.28

SS DÉLIVRANCE

LE SS DÉLIVRANCE
ACCOSTERA AUJOURD'HUI
10 HEURES DU MATIN, À
NEW YORK.
MM. LES PASSAGERS SONT
PRIÉS DE SE MUNIR DE LEURS
DOCUMENTS POUR LES PRÉ-
SENTER AUX AUTORITÉS
DE L'IMMIGRATION AMÉRICAINE.

LES BAGAGES SERONT
RETIRÉS DES CABINES,
DEUX HEURES AVANT
L'ARRIVÉE AU PORT.

COMME C'EST BEAU, Mr LAPLAQUE!..

MON APPAREIL DE PHOTO VA IMMORTALISER CE SPECTACLE!..

J'ESPÈRE, CHÈRE AMIE, QUE NOUS AURONS L'OCCASION DE NOUS RENCONTRER DANS QUELQUE AUTRE CHENIL DE QUALITÉ, AU HASARD DE NOS VOYAGES...

OH!...MONSIEUR ALPHONSE...

MESSIEURS LAPLAQUE ET JUNIOR SONT DEMANDÉS DANS LE BUREAU DU COMMISSAIRE...

AH!MESSIEURS, JE PRÉSENTE MÔA...JONES, REPRÉSEN-TANT DE LA NOTAIRE QUI A CHARGÉ VÔ DE RETROU-VER JEAN DUPONT...MÔA VAIS AIDER VÔ.

NOUS REMERCIONS VÔ... VOUS!..

TOUT LE D'ABORD, VOICI UN PHOTO DE JEAN DUPONT...

UNE PHOTO? MAIS C'EST MERVEILLEUX... CELA FACILITERA NOS RECHERCHES...

ÉVIDEMMENT, LE PHOTO EST VIEUX...

VENEZ! JE PILOTERAI VÔ DANS NEW YORK!..

MERCI Mr JONES, NOUS ALLONS TOUT D'ABORD RÉCUPÉRER ALPHONSE...

JE VAIS MONTRER VÔ UN PEU NEW YORK !...

...TIMES SQUARE !...

EMPIRE STATE BUILDING !... LA PLUS HAUTE GRATTE-CIEL DU MONDE ! 104 ETAGES, SANS COMPTER LE ENTRESOL !..

VÔ AVEZ PEUT-ÊTRE LE FAIM !.. NOUS ENTRERONS DANS LE AUTOMAT !..

VÔ PRENEZ UN PLATEAU, OUNE PIÈCE DE MONNAIE QUE VOUS METTEZ DANS LE FENTE, LE PETITE PORTE S'OUVRE ET VÔ PRENEZ LE CONTENU !

HMMM !. SALADE DE LAITUE, FROMAGE, PRUNEAUX, TOMATES ET RAISINS SECS, LE TOUT ASSAISONNÉ DE MAYONNAISE !.. MON RÊVE !

MAINTENANT, IL FAUT CHERCHER UN TABLE...

ÇA MANQUE D'OS ICI !...

MAIS !. OÙ EST MONSIEUR LAPLAQUE ?..

MONSIEUR... JE M'EXCUSE DE MA MALADRESSE... JE SUIS CONFUS...

J-30

JE VÔ EMMÈNE DANS MON BUREAU, NOUS POURRONS PARLER...

VOUS ÊTES À QUEL ÉTAGE MONSIEUR JONES?..

AU CINQUANTIÈME!!.. D'AILLEURS...

VLAN!

NOUS VOICI ARRIVÉS !..

ON CONNAÎT PEU DE CHOSE SUR Mr DUPONT. IL A QUITTÉ SON FAMILLE DEPUIS TRENTE ANS POUR FAIRE FORTUNE EN AMÉRIQUE ET IL N'A PLUS JAMAIS DONNÉ SIGNE DE VIE. SUR LE BRAS GAUCHE, IL A UNE TATOUAGE : "A MAMAN POUR LA VIE." C'EST TOUTE LE DESCRIPTION QUE NOUS POSSÉDONS...

MAIS LE NOM DE DUPONT N'EST PAS TRÈS COMMUN AUX ÉTATS-UNIS... CE SERA FACILE DE LE RETROUVER...

OH, JE VÔ L'ACCORDE, BUT, IL Y A OUNE ENNUI...

IL EST ASSEZ FACILE DE CHANGER NOM AUX ÉTATS-UNIS. Mr DUPONT, SE NOMME PEUT-ÊTRE MAINTENANT, Mr SMITH... ET DES SMITH, IL Y EN A DES MILLIERS !..

BONNE CHANCE, MESSIEURS! PRENEZ VOTRE TEMPS... MAIS SOUVENEZ VÔ QU'IL NE VOUS RESTE QUE SEPT SEMAINES POUR RETROUVER Mr DUPONT.. APRÈS, C'EST TROP TARD POUR LA HÉRITAGE ...

68

NE NOUS DÉCOURA-GEONS PAS Mr LAPLAQUE ALLONS VOIR SI LA POLICE PEUT NOUS DONNER UN COUP DE MAIN.

DES MILLIERS DE SMITH! C'EST ABOMINABLE!

TOUJOURS HEUREUX DE RENDRE SERVICE À NOS VISITEURS..

MERCI MONSIEUR L'INSPECTEUR.

VOILÀ, Mr JUNIOR. IL Y A TROIS JEAN DUPONT À NEW-YORK. VOICI LEURS ADRESSES...

QUELLE EFFICIENCE !!!

VOYONS... LE PREMIER JEAN DUPONT HABITE "MOTT STREET"

MOTT STREET... C'EST PAR LÀ !..

MAIS, C'EST LE QUARTIER CHINOIS!..

HMMMM... SON ADRESSE, C'EST À DEUX PAS D'ICI...

NO RIGHT TURN

NO PARKING

ONE-WAY

MONSIEUR JEAN DUPONT ?..

JE SERVIRAI D'INTERPRÈTE POUR MON HONORABLE ET VÉNÉRABLE ONCLE, JEAN DUPONT...

MAIS COMMENT SE FAIT-IL QUE MONSIEUR NE PORTE PAS UN NOM CHINOIS ?..

JEAN DUPONT EST LA TRADUCTION DE "TCHAÏTCHÉOUTCHIPOUMKAÏ-KAÏTCHEN", NOM VÉNÉRABLE DE MON HONORABLE ONCLE MAIS TROP DIFFICILE À PRONONCER PAR LES BLANCS AU LONG NEZ DES PAYS DE L'OCCIDENT

AL UDERCO TEXTE GOSCINNY

J.32

69

BON... NOUS APPROCHONS DE LA DEUXIÈME ADRESSE DE JEAN DUPONT...

OUI... CE DOIT ÊTRE TOUT PRÈS...

C'EST ICI!...

FRENCH CUISINE

Le Louis XI

NOUS VOUDRIONS VOIR Mr JEAN DUPONT...

DUPONT?... VEUILLEZ ME SUIVRE...

VOICI JEAN DUPONT, NOTRE CHEF DE CUISINE...

AH! AVEC MONSIEUR NOUS N'AURONS PAS BESOIN D'INTERPRÈTE...

SNIFF! SNIFF!

MONSIEUR, ÊTES-VOUS LE NEVEU D'OLIVE DUPONT?..

WHAT?..

EUH... HEM... MESSIEURS... LE VRAI NOM DU CHEF EST TED MAC LOUGHLIN... NOUS LUI AVONS DONNÉ UN NOM FRANÇAIS: ÇA IMPRESSIONNE NOTRE CLIENTÈLE... VOUS COMPRENEZ... FRENCH CUISINE...

EUH... MESSIEURS JE COMPTE SUR VOTRE DISCRÉTION...

MAIS OUI, MAIS OUI...

Le Louis XI

IL NOUS RESTE ENCORE UNE ADRESSE... ESSAYONS!..

PRIOUT!

AL UDERZO
TEXTE GOSCINNY

J 53

C'EST CURIEUX... LA VOITURE NE VEUT PLUS AVANCER !!!...

C'EST PEUT-ÊTRE PARCE QUE LA ROUTE N'EST PLUS EN PENTE...

DEUX JOURS PLUS TARD...

Fort

MELCULY

SERVICE

LA VOITURE DOIT ÊTRE PRÊTE...

BING OIL

ÉVIDEMMENT, C'EST UN PEU CHER COMME RÉPARATION, MAIS PENSE QU'ILS ONT DÛ REMPLACER LE MOTEUR, LES PNEUS, LE CHÂSSIS ET LA CARROSSERIE ...

EN SOMME, ILS ONT LAISSÉ LES ESSUIE-GLACE ET LE CENDRIER !..

TEUF! TEUF! TEUF!

ET MAINTENANT, EN ROUTE VERS LA CALIFORNIE !!!

TEUF! TEUF! TEUF!

FORMIDABLE CES SUPER-AUTOSTRADES !..

ET LES PANCARTES SONT AMUSANTES... REGARDE ./...

SMOKE...

FUMEZ...

MILDENT CIGARETTES

... LES CIGARETTES MILDENT...

...and be CAREFUL!!!

...ET SOYEZ PRUDENT !!!
!!!

UDERZO

TEXTE GOSCINNY

J36

LE VOYAGE SE POURSUIT SANS INCIDENT...

...ET VOICI NOS AMIS DANS L'OUEST AMÉRICAIN! L'OUEST DES COWBOYS ET DES PEAUX-ROUGES!

J'ESPÈRE QUE NOUS ALLONS VOIR DES VRAIS COWBOYS!..

ILS SONT TOUS MOTORISÉS! C'EST HONTEUX!..

C'EST ÇA LE PROGRÈS, MON ENFANT! C'EST L'ENNEMI DU PITTORESQUE!..

OH! Mr LAPLAQUE!.. REGARDEZ! UN VRAI COWBOY! ARRÊTEZ LA VOITURE, JE VAIS L'INTERVIEWER!..

UN QUART D'HEURE PLUS TARD...

ALORS, CE COW-BOY?..

BAH!..

IL M'A DIT ÊTRE UN IMMIGRANT EUROPÉEN DE DATE RÉCENTE...IL EST FERMIER ET FAIT DES ÉCONOMIES POUR S'ACHETER UNE VOITURE!..

AL UDERZO
TEXTE GOSCINNY

J.58

ICI COMMENCE LE DÉSERT DU COLORADO, QUE NOUS ALLONS TRAVERSER..

...ENDROIT TERRIBLE, DÉSOLÉ, SAUVAGE... OÙ LE VOYAGEUR DOIT SE DÉFENDRE SEUL CONTRE UNE NATURE IMPITOYABLE !..

TAIL o' the PUP

BEER

!?

IL Y A UN MONDE FOU QUI EST SEUL A SE DÉFENDRE !

LE VOYAGE SE POURSUIT PENDANT DES JOURS ET DES JOURS ET FINALEMENT... *SAN FRANCISCO!!!*

NOUS ARRIVONS!!!

INSTALLONS-NOUS DANS CET HÔTEL... NOUS ORGANISERONS NOS RECHERCHES IMMÉDIATEMENT !.

IL NE NOUS RESTE PLUS BEAUCOUP DE TEMPS!.

ROYAL CALIFORNIA

AL UDERLO
TEXTE GOSCINNY

J.40

77

QUE SE PASSE-T-IL GLADYS?..

JE NE SAIS PAS CECILY, UN ENFANT, UN HOMME ET UN CHIEN POURSUIVENT UN AUTRE INDIVIDU... PROBABLE-MENT DES ÉTRANGERS...

CES CHIENS ÉTRANGERS SONT SI BIEN ÉLEVÉS, CECILY. ILS METTENT UNE SERVIETTE AUTOUR DU COU AVANT DE MORDRE !...

BRAVO, ALPHONSE! TIENS LE! NOUS ARRIVONS!!!

PARDON MONSIEUR... ÈTES VOUS BIEN JEAN DUPONT ?..

MOI JE VAIS REGARDER SON BRAS GAUCHE! S'IL A UN TATOUAGE "À MA-MAN POUR LA VIE" C'EST NOTRE HOMME !..

AÏE! AÏE! AÏE! JE CROIS QUE CE N'EST PAS NOTRE HOMME !..

HEU... MONSIEUR.. NOUS NOUS EXCUSONS...

..D'UNE MÉPRISE... REGRETTABLE...

ILS ONT FAIT VENIR LA POLICE À CAUSE DE NOTRE BAGARRE!

MESSIEURS, JE REGRETTE, MAIS LE CHIEN DOIT VOYAGER DANS LE CHENIL...

ÇA VA, ÇA VA! ON CONNAÎT LA MUSIQUE...

MAIS! QUELLE HEUREUSE SURPRISE! NOUS AVONS DÉJÀ VOYAGÉ ENSEMBLE!...

OH!.. MONSIEUR ALPHONSE!..

ET PAR DESSUS LE MARCHÉ, LE TEMPS EST MAUVAIS!...

TIENS, C'EST LE GARÇON QUI NOUS AVAIT DÉJÀ SERVIS À L'ALLER!...

OH! PARDON!

MAIS, CE N'EST RIEN, JE VOUS ASSURE!..

J'INSISTE MONSIEUR, VENEZ AVEC MOI À L'OFFICE, JE VAIS VOUS ENLEVER LA TACHE...

ENLEVEZ VOTRE VESTE, MONSIEUR, CE SERA VITE NETTOYÉ...

VOUS NE DEVRIEZ PAS VOUS DÉRANGER...

Mr LAPLAQUE!!.. REGARDEZ!! LÀ!!.. SUR SON BRAS!!

À MAMAN POUR LA VIE

VOUS...VOUS ÊTES BIEN JEAN DUPONT?

MAIS...HEU... OUI..

NOUS AVONS RÉUSSI !!! NOUS AVONS RÉUSSI !!!

?

MAIS, MESSIEURS... CALMEZ VOUS... C'EST SANS DOUTE UN DES EFFETS DU MAL DE MER... ÇA PASSERA

MAIS, NE FAISONS PAS D'ERREUR VOUS ÊTES BIEN JEAN DUPONT, NEVEU D'OLIVE DUPONT?..

TONTON OLIVE?.. OUI, JE SUIS SON NEVEU...

JE SUIS PARTI EN AMÉRIQUE IL Y A TRENTE ANS, MAIS PENDANT LE VOYAGE, ON M'A OFFERT UNE SITUATION SUR LE NAVIRE QUI M'EMMENAIT VERS LE NOUVEAU MONDE... ALORS, JE NAVIGUE DEPUIS TRENTE ANS SUR CETTE LIGNE... JE N'AI JAMAIS ÉCRIT CHEZ MOI... JE N'OSAIS PAS AVOUER QUE JE N'AVAIS PAS FAIT FORTUNE...

EH BIEN, JE VOUS ANNONCE, QUE VOTRE ONCLE, LE MILLIARDAIRE, OLIVE DUPONT EST DÉCÉDÉ ET VOUS A NOMMÉ SON **SEUL HÉRITIER.!**

CE BRAVE TONTON OLIVE...

JE VAIS TÉLÉGRAPHIER A BONBAIN!

MAIS... VOTRE VESTE?

ET QU'ALLEZ-VOUS FAIRE AVEC CETTE FORTUNE?..

JE VAIS PRENDRE MA RETRAITE ET JE VAIS M'ACHETER UN YACHT!..

UN TÉLÉGRAMME DE LUC ET DE LAPLAQUE! ILS ONT RÉUSSI À TROUVER DUPONT!!! ¡INOUÏ!!

LES VOILÀ!!!

HIP!HIP! HOURRAH!

MONSIEUR, JE SUIS LE NOTAIRE "DITON" CHARGÉ PAR VOTRE ONCLE "OLIVE" DE VOUS RETROUVER! VOUS ÊTES ARRIVÉ JUSTE À TEMPS! UNE FORTUNE EST À VOTRE DISPOSITION!...

CE BRAVE TONTON OLIVE!...

JE VOUS FÉLICITE MES AMIS !!! NOUS ALLONS FAIRE DES ARTICLES FORMIDABLES!!!

LE CRI

L'AMÉRIQUE À LA RECHERCHE DE DUPONT

PAR LUC JUNIOR

LE JEUNE JOURNALISTE LUC JUNIOR AIDÉ DU PHOTOGRAPHE LAPLAQUE ET DE SA MASCOTTE ALPHONSE, RÉUSSISSENT À RETROUVER DUPONT

HÉRITIER JEAN DUPONT NOUS DIT "CE BRAVE TONTON OLIVE"

AL UVERZO

TEXTE GOSCINNY

FIN DE L'ÉPISODE

146

GOSCINNY ET UDERZO
PRÉSENTENT
UNE AVENTURE DE LUC JUNIOR

ET LE FILS DU MAHARADJAH

Texte : René Goscinny
Dessins : Albert Uderzo

LES ÉDITIONS ALBERT RENÉ
26, AVENUE VICTOR HUGO 75116 PARIS.
www.asterix.com

Les planches de *Luc Junior et le fils du Maharadjah*
ont été publiées dans *La Libre Junior* **du 18 août 1955 au 12 janvier 1956.**

NOUS ARRIVONS À L'AÉRODROME...CETTE VOITURE FAIT DES POINTES DE **TRENTE CINQ** À L'HEURE!..

TEUF! TEUF! TEUF!

REGARDEZ Mr LAPLAQUE, TOUTES CES BELLES VOITURES! SÛREMENT DES DIPLOMATES DE BRAMAHBLÂBLA, VENUS ATTENDRE LE PRINCE...

HEIN?!!NOUS AUSSI NOUS FAISONS NOTRE PETIT EFFET!..

C'EST INDÉNIABLE Mr LAPLAQUE!!!

VOILÀ L'AVION PER-SONNEL DU MAHARADJAH QUI ARRIVE!..

REGARDEZ COMME IL EST BEAU L'AVION TOUT PEINT EN DORÉ!...

JE M'EXCUSE, NOBLES EUROPÉENS... L'AVION DE MON MAÎTRE LE MAHARADJAH N'EST PAS PEINT EN DORÉ...
...IL EST EN OR...

AL UDERZO
TEXTE GOSCINNY

88

90

T'AS VU?..

OUAIS!

NOUS ALLONS METTRE AU POINT LE PROJET POUR KIDNAPPER LE PRINCE...

...ET LE MAHARADJAH PAYERA UNE RANÇON ÉNORME...DES MILLIARDS..!!...DES **MILLIONS**, MÊME!..

PENDANT CE TEMPS ET IGNORANTS DE CE SOMBRE PROJET...

IL EST PLUTÔT SYMPATHIQUE LE PRINCE...

OUI... MAIS JE NE SERAI PAS FÂCHÉ QUAND CETTE PROMENADE SERA TERMINÉE...

ATTENTION, Mr LAPLAQUE... VOUS GRILLEZ UN FEU ROUGE !!!

TCHiiiiii

BANG!

iiiSH!

PRIOOUI!

AÏE AÏE AÏE!. C'EST LA CONTRAVENTION!

TCHiiiiii!

VOUS VOULEZ QUE JE DISE A MES SERVITEURS DE TRANCHER LA TÊTE DE L'HOMME AU SIFFLET?..

C'EST DES GENS COMME VOUS QUI EMPOISONNENT LA CIRCULATION!!

CLAK!

SSSSSSs

JE CROIS QUE L'AGENT S'EST ÉVANOUI!..

LE MIEUX, C'EST DE DÉMARRER... LE JOURNAL S'EXPLIQUERA POUR NOUS AVEC LA POLICE!!

DILING! DILING!

RÉCRÉATION!

AVEC LES NOUVEAUX ÉLÈVES, LES RÉCRÉATIONS ONT UNE AMBIANCE SPÉCIALE.

ELLES SONT BELLES VOS BILLES, "GABARIT"!

OUI, CE SONT DES RUBIS ET DES ÉMERAUDES!

CHEZ NOUS, LES VRAIS BILLES SONT HORS DE PRIX...

LAPLAQUE, LUI, N'A PAS DE CHANCE, IL EST AU PIQUET, N'AYANT PAS ÉTÉ SAGE...

DEUX PAIRES!

MOI J'AI UN BRELAN!...

BON! ASSEZ RI, SI ON PARLAIT AFFAIRES?...

?

IL FAUDRA ATTENDRE LE MOMENT PROPICE ET AGIR... JE N'AIME PAS TOUS LES TYPES QUI TE SUIVENT TOUT LE TEMPS!...

EN TOUT CAS, SON PÈRE PAYERA BIEN!. TU PENSES, UN MAHARADJAH!...

HMMM... CETTE CONVERSATION ME PARAÎT LOUCHE... JE CROIS QUE JE VAIS PRÉVENIR M. LAPLAQUE...

96

99

REGARDEZ, J'AI REÇU UNE LETTRE ! C'EST PEUT ÊTRE AU SUJET DE GABARIT !

Nous sommes en possession du prince Gabarit Brahma-blabla. Il ne vous sera rendu que pour une somme de milliards encore à déterminer. En attendant, veuillez nous répondre en plaçant la lettre au pied de la statue de Jupiter, cette nuit, dans le Bois. Dites nous si vous êtes d'accord sur le principe.
Vos très devoués...

IL N'Y A QU'UNE CHOSE À FAIRE, ALLONS CETTE NUIT AU RENDEZ-VOUS ! NOUS ESSAYERONS DE CAPTURER LES BANDITS !..

CETTE NUIT-LÀ...

MESSIEURS ! N'AVANCEZ-PAS !!

IL FAIT VRAIMENT NOIR ICI DEDANS !.. LES RAYONS DE LUNE NE PASSENT PAS...

ATTENTION ! JE CROIS QU'ON BOUGE LÀ !.

LES BANDITS, SÛREMENT !.

JE LE TIENS !!!

OUAH ! OUAH !.. GRRRRR !!

AAAÏÏEE !

JE M'ÉTAIS ÉLOIGNÉ POUR PRENDRE LES BANDITS À REVERS !.

EN LE MORDANT, JE ME DISAIS BIEN QUE JE CONNAISSAIS CE GOÛT LA !..

UDERZO
TEXTE GOSCINNY

PITIÉ ! PITIÉ ! MONSIEUR LE MAHARADJAH ! NE NOUS FAITES PAS TORTURER ! TOUT ÇA C'ÉTAIT POUR RIRE !..

ON LES TIENT !!!

VOUS ÊTES UN HÉROS !..

OH, J'AI ÉTÉ TRÈS AIDÉ !

DITES MOI, PRINCE, VOTRE PÈRE EST VRAIMENT SI CRUEL QUE ÇA ?

PAPA ?.. C'EST UN PAPA GÂTEAU, JE VAIS VOUS MONTRER SA PHOTO, ELLE NE ME QUITTE PAS !..

MAIS.. QUE FAIT YAOURT ?..

C'EST LA COUTUME, DEVANT L'EFFIGIE DE MON PÈRE, SES FIDÈLES SUJETS SE PROSTER-NENT SEPT FOIS...

VOUS ET VOS AMIS, VOUS ÊTES DES HÉROS ! PAPA, IL SERA CONTENT !

ET MAINTENANT, RETOURNONS À L'ÉCOLE !..

QUELQUES INSTANTS PLUS TARD...

VIENS "LUNETTES"...

MESSIEURS, SI L'ENVIE VOUS PREND ENCORE DE SORTIR IL SERA SUPERFLU DE ME METTRE À NOUVEAU CETTE BÊTE SOUS LE NEZ !

A6 (UDER20 TEXTE GOSCINN)

ALLONS VOIR Mr. BONBAIN À LA RÉDACTION DU "CRI" IL NOUS ATTEND...

AH, MES AMIS !!! QUE JE SUIS HEUREUX DE VOUS VOIR !!! FÉLICITATIONS, LUC! LAPLAQUE !!! CE SERA UN REPORTAGE FORMIDABLE !!!

LE "CRI"

JE CONSENS À VOUS RENDRE MES AMIS MAIS IL FAUT ME PROMETTRE DE BIEN LES SOIGNER ET DE LES GARDER EN PARFAIT ÉTAT DE MARCHE !..

IL Y A LÀ UN MONSIEUR QUI SE DIT ÊTRE LE MAHARADJAH DE BRAHMA...

J'AI SAUTÉ DANS MON AVION EN PLATINE DÈS QUE J'AI SU L'AVENTURE SURVENUE À MON FILS, ET L'AIDE QUE VOUS LUI AVEZ PORTÉ...

PAPA !!!

!?

MESSIEURS, COMMENT VOUS EXPRIMER MA RECONNAISSANCE ET MA JOIE ?...

VIVE LE MAHARADJAH ! LE MAHARADJAH AVEC NOUS !!

VOULEZ-VOUS VOUS TENIR TRANQUILLE ????!!!

ENCORE DEUX FOIS ET LE COMPTE Y SERA, PATRON...

CHERS AMIS POUR VOUS RÉCOMPENSER, JE VOUS DONNERAI VOTRE POIDS EN DIAMANTS!

AL. UDERZO TEXTE GOSCINNY

OH NON! RIEN DU TOUT! PAS QUESTION! TOUT LE PLAISIR ÉTAIT POUR NOUS!

DOMMAGE... MOI QUI SUIS GRASSOUILLET, ÇA FAISAIT UNE BELLE FORTUNE !..

F.67

JE TIENS TOUT DE MÊME A VOUS LAISSER UN PETIT SOUVENIR QUE J'AI EMMENÉ AVEC MOI DE BRAHMABLABLA...

CLAK!

IL EST A VOUS...

TOUT RENTRE DANS L'ORDRE. LE PRINCE FAIT DES ÉTUDES SÉRIEUSES ET PAISIBLES...

...LE FAKIR "YAOURT" SE TAILLE UN BEAU SUCCÈS AU MUSIC-HALL AVEC DES TOURS DE PRÉSDITI... PRESGITI... PRESTITI... DES TOURS DE MAGIE !

NOS AMIS ONT DROIT A UNE ÉDITION SPÉCIALE DU "CRI"...

LE CRI

EDITION SPÉCIALE

L'AVENTURE DU PRINCE GABARIT

L'HÉROISME DE LUC JUNIOR

NOUVELLES DU

VROUUUF!

GOSCINNY ET UDERZO
PRÉSENTENT
UNE AVENTURE DE LUC JUNIOR

Luc Junior

REPORTAGE À L'OMBRE

Texte : René Goscinny
Dessins : Albert Uderzo

LES ÉDITIONS ALBERT RENÉ
26, AVENUE VICTOR HUGO 75116 PARIS.
www.asterix.com

Les planches de *Reportage à l'ombre*
ont été publiées dans *La Libre Junior* **du 19 janvier au 21 juin 1956.**

113

OOOOOH!!

LAPLAQUE!

LES KIDNAPPEURS DE GABARIT *!!!

* VOIR ÉPISODE PRÉCÉDENT: "LUC JUNIOR ET LE FILS DU MAHARADJAH".

114

115

IL FAIT NUIT! ON VA Y ALLER!...

HEU!... IL PLEUT... CE N'EST PAS UN TEMPS POUR SORTIR!..

HI! HI! QU'IL EST RIGOLO!...

QUEL SANG FROID! TU PLAISANTES DANS UNE SITUATION PAREILLE! TU ES UN VRAI DUR!..

C'EST COMME ÇA QU'ON EST, NOUS...

BON! ALLONS-Y!..

LE LENDEMAIN MATIN...

JE VIENS VOIR LE DÉTENU LAPLAQUE...

LAPLAQUE?.. IL EST SORTI...

QUOI!?

IL S'EST ÉVADÉ CETTE NUIT AVEC DEUX AUTRES PRISON-NIERS! C'EST UN DANGEREUX!..

PUISQUE VOUS INSISTEZ JE VOUS EMMÈNE CHEZ LE DIRECTEUR!

OUI... MON PRÉDÉCESSEUR ME CONFIRME VOTRE HISTOIRE...

POURRAIS-JE AVOIR UNE PHOTO DES DEUX AUTRES ÉVADÉS?..

JE COMPRENDS TOUT MAINTENANT! C'EST AFFREUX! Mr LAPLAQUE A ÉTÉ ENLEVÉ!

ÇA A ÉTÉ UN JEU D'ENFANTS DE S'EMPARER DE CES ARMES!..

UN JEU D'ENFANTS!

SI ON JOUAIT À AUTRE CHOSE?..

117

DANS LE BUREAU DU CHEF DE POLICE.

ET VOILÀ LA SITUA- TION ANGOISSANTE DE MON COLLABORA- TEUR...

NOUS METTRONS TOUT EN ŒUVRE POUR LE RETROUVER... NOUS ALLONS LANCER DES APPELS PAR RADIO...

OH, NON, MONSIEUR LE CHEF DE POLICE...

OU BIEN ILS SE SERVENT DE M. LAPLAQUE COMME OTAGE, OU BIEN ILS CROIENT QU'IL EST UN DES LEURS... DANS LES DEUX CAS, IL VAUT MIEUX ÊTRE DISCRETS...

EH BIEN, C'EST ENTENDU, NOUS ALLONS CONDUIRE CETTE ENQUÊTE AVEC DISCRÉTION...

PENDANT CE TEMPS...

NOUS NE POUVONS PAS CONTINUER COMME ÇA... IL NOUS FAUT UNE AUTO...

OUI, LE REPAIRE EST ENCORE LOIN !...

IL RALENTIT !..

PUIS-JE VOUS AIDER ?..

AH, MONSIEUR, QUE VOUS ÊTES IMPRUDENT !..

VOUS NE SAVEZ DONC PAS QU'IL EST IMPRUDENT DE PRENDRE DES INCONNUS SUR LA ROUTE ?...

VA FALLOIR TROUVER 'N MOYEN POUR RÉVENIR LA POLICE...

ATTENTION! LES VOILA!!

MESSIEURS, NOUS VOUS INVITONS À PARTICIPER À UNE RÉUNION...

UNE RÉUNION?!..

LA SITUATION EST ANGOISSANTE NOUS SOMMES SANS ARGENT... IL FAUT TROUVER UN BEAU COUP À FAIRE...

AVEZ-VOUS DES IDÉES...

!!

MOI, JE CONNAIS UNE VILLA QUE NOUS POURRIONS CAMBRIOLER....

HEIN?!..

BRAVO!!!

CE QUE C'EST QUE LES PROFESSIONNELS, TOUT DE MÊME!

LA VILLA EST RICHE, LE PROPRIÉTAIRE EST ABSENT! UNE BELLE AFFAIRE... JE VAIS VOUS EN FAIRE LE PLAN...

VOICI... C'EST TRÈS FACILE D'Y ENTRER...

SPLENDIDE!!!

M! LAPLAQUE!.. CETTE VILLA... ELLE N'EXISTE PAS! AU MOINS?....

MAIS SI, ELLE EXISTE, HI, HI!.. C'EST CELLE DE BONBAIN!!!

D'ABORD, CE SERA UNE BONNE BLAGUE À JOUER À BONBAIN QUI NOUS A MIS DANS CE PÉTRIN... ENSUITE, C'EST SANS DANGER, IL HABITE EN VILLE EN CE MOMENT, DE PLUS, NOUS POURRONS LUI LAISSER UN MESSAGE, IL PRÉVIENDRA LA POLICE!...

AL UDERZO TEXTE GOSCINNY

J. 89

NOUS FERONS LE CAMBRIOLAGE CETTE NUIT MÊME...

J'AI PRÉPARÉ LE MESSAGE...

PARFAIT, NOUS LE LAISSERONS BIEN EN VUE DANS LA VILLA... BONBAIN PRÉVIENDRA LA POLICE...

MAIS... ÊTES-VOUS BIEN SÛR QUE Mᴿ BONBAIN NE S'Y TROUVERA PAS ?...

NON, NON! IL A UN APPARTEMENT EN VILLE...

MAIS LE HASARD FAIT MAL LES CHOSES, ET, PENDANT CE TEMPS, DANS LES BUREAUX DU "CRI"...

LE CRI

ÇA NE VA PAS Mᴿ BONBAIN ?!...

NON... JE SUIS SOUCIEUX

LA DISPARITION DE LAPLAQUE ET LUC M'INQUIÈTE....

VOUS DEVRIEZ VOUS REPOSER Mᴿ BONBAIN...

TOUT ÇA, C'EST DE MA FAUTE !...

VOUS DEVRIEZ PARTIR VOUS REPOSER QUELQUES JOURS DANS VOTRE VILLA...

TIENS... ÇA C'EST UNE IDÉE

LE CRI

N-8

NOUS SOMMES DANS LA PLACE... SILENCE!..

TIENS! DES BRUITS!

DES SOURIS SANS DOUTE... JE VAIS ALLER VOIR...

ÇA VIENT D'EN BAS!!!

OH?!

VOUS NOUS AVIEZ DIT QU'IL N'Y AVAIT PERSONNE ICI!!!

MAIS...MAIS...IL N'A PAS À ÊTRE ICI, CELUI-LÀ!

ÇA, C'EST LA MEILLEURE! !!!.....

QUE VA-T-ON FAIRE DE CELUI-LÀ?..

C'EST UN TÉMOIN GÊNANT!

MESSIEURS...JE VOUS RAPPELLE QUE NOUS SOMMES ENTRE HOMMES DU MONDE...

NE LUI FAISONS PAS DE MAL!... ENLEVONS-LE... IL Y AURA UNE RANÇON!..

NOUS NOUS ENFUIRONS CETTE NUIT-MÊME... QUAND ILS DORMIRONT...

C'EST ÇA!!!

CETTE NUIT-MÊME...

CHUT!..

KAÏÏÏKAÏÏKAÏÏ...

OH PARDON!!!

SILENNNCE!

DE QUOI?

JE VAIS TE ME LE CORRIGER!!!

A LA TÊTE DE QUELLE ARMÉE?!

MESSIEURS!. CHUT!CHUT!..

ALORS?... ON NE LAISSE PLUS DORMIR LES MAL-HONNÊTES GENS?!

EH BIEN!.. C'EST RATÉ!!

OUI, MAIS ALPHONSE A RÉUSSI À S'ÉCHAPPER!!!

J.85

ALLEZ ! TOUT LE MONDE À LA PRISON !...

PIN! PON! PIN!

POLICE

POLICE

MESSIEURS, JE VEUX VOUS REMERCIER ET VOUS FÉLICITER POUR VOTRE COURAGE QUI NOUS A PERMIS DE RECAPTURER DE DANGEREUX BANDITS!

OH! CE N'EST RIEN...

HEP! VOUS! OÙ ALLEZ-VOUS?..

COMMENT, OÙ JE VAIS? CHEZ MOI, JE VAIS!

DÉSOLÉ, MAIS MON PRÉDÉCESSEUR VOUS A INSCRIT ICI COMME PRISONNIER IL FAUT ATTENDRE SA SIGNATURE POUR VOUS RELÂCHER...

Q...QU... QUOI?

HO! HO! C'EST TROP DRÔLE!

ALPHONSE, TU ES UN HÉROS !!!

LA PLAQUE LE TERRIBLE! HI! HI! HI!...

C'EST UNE HONTE!!! JE ME PLAINDRAI!!! JE PAYE MES IMPOTS! JE VOTE !!!

AL UDERZO TEXTE GOSCINNY

J.89

GOSCINNY ET UDERZO
PRÉSENTENT
UNE AVENTURE DE LUC JUNIOR

CHEZ LES PASPARTOS

Texte : René Goscinny
Dessins : Albert Uderzo

LES ÉDITIONS ALBERT RENÉ
26, AVENUE VICTOR HUGO 75116 PARIS.
www.asterix.com

Les planches de *Luc Junior et les Paspartos* ont été publiées dans *La Libre Junior* du 5 juillet 1956 au 29 novembre 1956.

CA Y EST! NOUS REVOILA PARTIS POUR UNE RÉCOLTE DE PLAIES ET DE BOSSES! A MON AGE!

MAIS CE SERA UN BEAU REPORTAGE Mr LAPLAQUE!

LE LENDEMAIN, CHEZ UN DOCTEUR.

TU TE RENDS COMPTE TOUS LES VACCINS QU'IL NOUS FAUT POUR ALLER DANS LA JUNGLE?

HOULÀHOULÀHOULÀ HOULÀHOULÀ!!

HI! HI! HI!

SI LE CHIEN VA AVEC VOUS, IL VAUT MIEUX LE VACCINER AUSSI...

OUAP!

OUUUOUUUOUUU

JE TE QUITTE POUR ALLER M'ÉQUIPER POUR LE VOYAGE. RENDEZ-VOUS À LA MAISON. DUCOUSSIN DOIT Y VENIR...

PLUS TARD...

!?

C'EST PAS BEAU, ÇÀ? ET JE PENSE DÉJÀ AUX CONFÉRENCES QUE JE FERAI À MON RETOUR...

NE SOYEZ PAS SI OPTIMISTE Mr LAPLAQUE... CE N'EST PAS SÛR QUE NOUS EN REVIENDRONS... LES RIVES DU LEPABO SONT PEUPLÉES PAR LES FÉROCES INDIENS PASPARTOS, SUR LA TÊTE DESQUELS, LA CIVILISATION N'A JAMAIS MIS LE PIED...

139

141

COMMENT ALLONS-NOUS FAIRE POUR TROUVER DES GUIDES INDIGÈNES?

REGARDEZ !!!

EXPÉDITION vers les régions INEXPLORÉES

GUIDES INDIGÈNES

PALUDISME GARANTI à la volonté du CLIENT

L'Amazone EN 15 JOURS

PRIX AVEC TAXES ET SERVICES COMPRIS

Nous FOURNISSONS LA VERROTERIE POUR AMADOUER LES INDIGÈNES

DÉPARTS HEBDOMADAIRES

MATTO GROSSO BY NIGHT

TYO

AH! CES MESSIEURS VEULENT SANS DOUTE FAIRE UNE EXPLORATION?...

PUIS-JE VOUS CONSEILLER CETTE RÉGION ABSOLUMENT INEXPLORÉE?... VOUS Y TROUVEREZ DES AUBERGES PROPRES, CONFORTABLES, À DES PRIX RAISONNABLES...

NOUS VOUS FOURNISSONS ÉGALE-MENT DES CONFÉRENCES TOUTES FAITES POUR VOTRE RETOUR DANS LES PAYS CIVILISÉS...

EUH... NOUS VOUDRIONS ALLER CHEZ LES "PASPARTOS"...

QUOI!

IL EST PARTI EN COURANT...

HEP!... HIC!...

J'AI ENTENDU... HIC!... JE VEUX BIEN VOUS GUIDER CHEZ LES PACHPARTOSCHHH... HIC!... JE TRAVAILLE EN INDÉPENDANT ET JE M'APPELLE... HIC!... "GUSTAVO"!... VOUS ME PAYEREZ EN EAU DE FEU...

142

NOUS ALLONS CAMPER SUR LA RIVE POUR LA NUIT.

BOUM! BOUM BOUM

ÉCOUTEZ !!! LES TAM TAMS !!

GUSTAVO! QUE DISENT LES TAM TAMS !

ILS DISENT: BOUM BOUM BOUM!

DITES DONC GUSTAVO... VOUS N'AVEZ PAS L'AIR DE VOUS Y CONNAÎTRE BEAUCOUP...

OH, MOI, HIC !.. VOUS SAVEZ...

SLOP!

...JE SUIS JAMAIS ALLÉ DANS LA JUNGLE... HIC.!. J'AI HORREUR DE LA CAMPAGNE

DANS LA NUIT TROPICALE, D'ÉTRANGES BÊTES RODENT AUTOUR DU CAMP...

CRRROACK CRROACK

UDERZO
TEXTE GOSCINNY

CROACK?

CUI! CUI! CUI!

J.99

144

MR DUCOUSSIN! MR LAPLAQUE! VENEZ VITE!...

?

QUE SE PASSE-T-IL?

ON NE M'A PAS APPELÉ, MAIS JE VIENS QUAND MÊME...

MÔSSIEU A SÛREMENT DES CHOSES INTÉRESSANTES À NOUS DIRE...ET IL PARLE FRANÇAIS...

ET MOI QUI ME SUIS DONNÉ TANT DE MAL POUR APPRENDRE À PARLER LE PASPARTOS!...

VOUS PARTIR OU MOI COUPER TÊTES!...

C'EST UNE MANIE

OÙ EST LIONNEL DUCOUSSIN?

MAIS L'AGITATION GAGNE LA TRIBU, QUI VOIT SON CHEF EN DANGER...

BOM! BOM! BOM!

BOM! BOM! BOM! BOM! BOM! BOM! BOM!

ARRÊTEZ LES TAM-TAMS!!!

PUISQUE C'EST COMME ÇA, JE NE JOUE PLUS... IL Y EN A DES, QUI NE CONNAISSENT RIEN À LA MUSIQUE!...

AL UDERZO

J.106

TEXTE GOSCINNY

LE LENDEMAIN MATIN...

ALLONS-Y, CHEF!.... NOUS PARTONS EN EXPÉDITION !!!

EH BIEN, EH BIEN EH BIEN !!!

HEU... C'EST À DIRE QUE...

LA JUNGLE MAUVAIS !!!

HOMME BLANC, PIRE QUE JUNGLE !!

ALLONS! ALLONS! SINON, NOUS SAISIR!

LA CARAVANE S'ENFONCE DANS LA JUNGLE DITE IMPÉNÉTRABLE...

LA JUNGLE PEUPLÉE D'ÊTRES TERRIBLES...

GGGRROOAR

...DONT LE FÉROCE TICO-TICO, L'OISEAU LE PLUS CRAINT DE TOUS LES OISEAUX...

cui! cui! cui! cui!

KAÏ KAÏ KAÏ

AL. UDERZO TEXTE GOSCINNY

CUI!

J.108

ENFIN MONSIEUR, NOUS EXPLIQUEREZ-VOUS VOTRE ATTITUDE, POUR LE MOINS CURIEUSE ?...

OH, JE N'Y VOIS PAS D'INCONVÉNIENT...

JE SUIS VENU ICI, ÉCOEURÉ PAR LA CONCURRENCE QUI REND LE COMMERCE DIFFICILE... J'AI TROUVÉ CHEZ LES PASPARTOS UNE CLIENTÈLE RÊVÉE, ET JE SUIS LE SEUL COMMERÇANT DE TOUTE LA JUNGLE. LES PRODUITS ME SONT ENVOYÉS PAR DES CORRESPONDANTS DES VILLES QUI AGISSENT SOUS LA FOI DU SECRET...

...JE VENDS AUSSI DES PRODUITS INDIGÈNES, MA PUBLICITÉ EST TELLEMENT BIEN FAITE, QUE LES PASPARTOS VIENNENT CHEZ MOI POUR ACHETER DES BANANES MALGRÉ, QUE ÇA POUSSE PARTOUT ... ET J'ARRIVE À FAIRE MONTER LES PRIX EN PRÉTEXTANT LES GELÉES !...

MAIS EN QUELLE SORTE DE MONNAIE VOUS PAYENT LES PASPARTOS ?..

ILS ME PAYENT EN PEAUX DE CROCO-DILE... LE CUIR EST UNE DES GRANDES RICHESSES DU PAYS....

LEUR MÉTHODE DE CHASSE EST CURIEUSE... UN NAGEUR, RAPIDE DE PRÉFÉRENCE, SERT D'APPÂT...

...LE CROCODILE SUIT L'APPÂT...

...IL S'ÉCHOUE SUR LA RIVE ET EST CAPTURÉ... BIEN ENTENDU, IL ARRIVE PARFOIS QU'IL FAUT TROUVER DES NOUVEAUX NAGEURS...

ET... ET CES CRÂNES ?.!!

EN PLASTIQUE... LES PASPARTOS SONT BIEN TROP DOUX ET TROP PARESSEUX POUR CHASSER LEURS CRÂNES EUX-MÊMES...

AL UDERZO

TEXTE GOSCINNY

J. 111

156

NOS AMIS REJOIGNENT LA CIVILISATION, JOYEUSEMENT...

HIC!

...PAR LES MOYENS LES PLUS RAPIDES...

MADEMOISELLE! VITE! Mr LAPLAQUE NE SE SENT PAS BIEN!..

...ET PUIS C'EST L'ARRIVÉE TRIOMPHALE!!!

JE VAIS CHANGER DE MÉTIER!..

SOYEZ LES BIENVENUS MES AMIS!

NOUS VOUS APPORTONS UN REPORTAGE SENSATIONNEL SUR LES PASPARTOS Mr BONBAIN!..

...ET NOUS T'APPORTONS AUSSI UN PETIT SOUVENIR DE NOTRE VOYAGE...

FIN DE L'ÉPISODE

J. 113

158

GOSCINNY ET UDERZO
PRÉSENTENT
UNE AVENTURE DE LUC JUNIOR

Luc Junior

CHEZ LES MARTIENS

Texte : René Goscinny
Dessins : Albert Uderzo

LES ÉDITIONS ALBERT RENÉ
26, AVENUE VICTOR HUGO 75116 PARIS.
www.asterix.com

Les planches de *Luc Junior chez les Martiens*
ont été publiées dans *La Libre Junior* **du 6 décembre 1956 au 2 mai 1957.**

AU FOND M. LAPLAQUE IL FAUT AVOUER QUE CE SERA UN REPORTAGE SENSATIONNEL.

PUISQUE TOUT LE MONDE EST CONTRE MOI JE ME RÉSIGNE... MAIS SI JAMAIS J'EN REVIENS...

BRESSONS! BRESSONS!..

BOUR LE DÉBART NOUS TEFONS NOUS METTRE DANS LES GOUCHETTES... L'ACCÉLÉRATION EST DERRIBLE... ELLE NOUS ASSOMMERA!

C'EST GAI!...

BRÊTS?...

PRÊTS!

ADIEU!

TISS, NEUVE, HOUID, TSEPT, TZISS, TSING, GADRE DROIS, TEUX, UN, TZÉRO... ..BARDEZ!!!

NNNNGGGG!!!

JE M'EXCUSE PROFESSEUR, NOUS AVONS UN RETARD NOUS SOMMES ALLÉS ACHETER DES ALLUMETTES POUR ALLUMER LA FUSÉE... MON BRIQUET NE MARCHE PAS.

AL UDER 20 TEXTE GOSCINN 4

J. 117

FENEZ FITE!.. UN ESPEGTAGLE MAGNIVIQUE!!!

ET BOUR FOIR OÙ NOUS ALLONS, NOUS ALLONS NOUS SERFIR D'UN ZYZTÈME GOMBLIQUÉ DE TÉLÉFISSION...

NOUS NOUS EXCUSONS DE CETTE INTERRUPTION DE L'IMAGE

ZA, C'EST GURIEUX...

PIENDÔD, NOUS N'ALLONS BLUS ÊTRE SOUMIS À L'ATTRACTION DERRESTRE... CES BOTTES AIMANTÉES NOUS PERMETTRONT D'ADHÉRER AUX BAROIS DE LA FUSÉE...

BOTTES

POC!

?

BOT

ON N'A BAS ITÉE DE VUMER DES PIPES EN MÉTAL!

AL UDER?! TEXTE GOSCINNY

J. 119

172

JE VOUS EMMÈNE DANS LA VILLE OÙ J'HABITE ET EN CHEMIN,JE VOUS PARLERAI DE NOS COUTUMES...

LES MARTIENS SONT TOUS PAREILS HEUREUSEMENT D'AILLEURS CAR ILS SONT FORT BEAUX...

MARTIAN FOOTBA

NOS DISTRACTIONS PRÉFÉRÉES SONT LES PROMENADES SUR LES CANAUX AUX CLAIRS DE LUNES. (MARS A DEUX LUNES)

LE SOLEIL A RENDEZ-VOUS AVEC LES LUNES...

LE SPORT FAVORI EST DE LOIN LA CHASSE AU PAPILLON. IL Y A EU DES ABUS, ET MAINTENANT LES PAPILLONS SONT PROTÉGÉS...

IL Y A AUSSI LES PROMENADES EN SOUCOUPE VOLANTE QUI NOUS PERMETTENT DE RENCONTRER PARFOIS DES ENGINS MYSTÉRIEUX...

? ? ?

RRRRONNNNN...

LES MARTIENS SONT TRÈS POLIS ET LEUR FAÇON DE SE SALUER, CHARMANTE...

UN BEAU P'TIT MARTIEN!..

UN BEAU P'TIT MARTIEN!..

AH! NOUS ARRIVONS BIENTÔT À LA VILLE VOUS VERREZ COMME NOUS SOMMES MODERNES!

J '82

VENEZ CHEZ MOI, JE VAIS VOUS PRÉSENTER MA FAMILLE

NOUS NE VOUDRIONS PAS VOUS DÉRANGER..

IL Y A AUSSI DES VOISINS QUI SONT VENUS POUR VOUS VOIR... JE NE VOUS PRÉSENTE PAS TOUT LE MONDE CAR J'AI LA MÉMOIRE DES TÊTES, MAIS NON PAS CELLE DES NOMS.

MAIS FOUS AFEZ LA TÉLÉFISSION!

NOUS NOUS EXCUSONS DE CETTE INTERRUPTION DE L'IMAGE

?!

ZE BROCRAMME ME POUR-ZUIT À TRAVERS L'ETZEPATZ!

A TRAVERS LE QUOI?

L'ETZEPATZ!

AH L'ESPACE...

C'EST DOMMAGE CAR CE SOIR, IL Y A UN PROGRAM-ME AVEC CE COMIQUE DONT LA TÊTE SEULE ME FAIT DÉJÀ RIRE.

AU NOM DE LA LOI, OUVREZ !!!

PAN! PAN!

J.130

FIN DE L'ÉPISODE

GOSCINNY ET UDERZO
PRÉSENTENT
UNE AVENTURE DE LUC JUNIOR

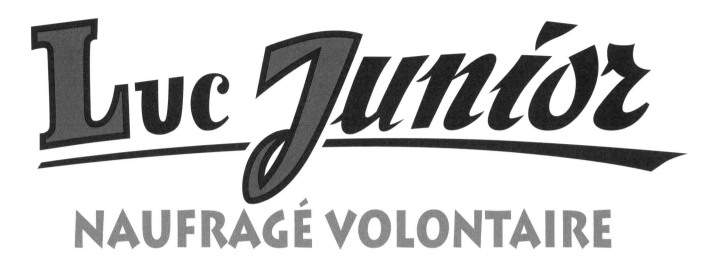

Luc Junior

NAUFRAGÉ VOLONTAIRE

Texte : René Goscinny
Dessins : Albert Uderzo

LES ÉDITIONS ALBERT RENÉ
26, AVENUE VICTOR HUGO 75116 PARIS.
www.asterix.com

Les planches de *Naufragé volontaire*
ont été publiées dans *La Libre Junior* **du 16 mai 1957 au 10 octobre 1957.**

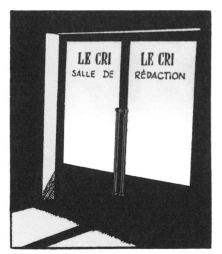

BON! EH! BIEN, NOUS ALLONS RÉFLÉCHIR...

C'EST ÇA...

HEUREUSEMENT QUE J'AI ACHETÉ UN AUTRE RADEAU...

BONBAIN

VOUS RÉFLÉCHIREZ EN ROUTE!! LE DÉPART EST FIXÉ POUR AUJOURD'HUI!!!

MAIS!.. MAIS!!!

MAIS! MAIS!!!

J'AI CONVOQUÉ LA RADIO ET LA TÉLÉVI-SION!.. TOUT LE MONDE VOUS ATTEND AU PORT!..

MAIS... MAIS!! MAIS MAIS MAI!

PRESSE

QU'EST-CE QUE C'EST QUE ÇA?

ÇA?.. UN CASSE-CROÛTE, J'EN AI TOUJOURS UN SUR MOI, COMME ÇA QUAND J'AI FAIM, JE...

?!

PAS DE VIVRES, J'AI DIT!!!

CITROEN

PRESSE

BONBAIN TU M'ÉNERVES!!!

M. LAPLAQUE... NON! VOUS NE DEVEZ PAS JETER M. BONBAIN PAR LA PORTIÈRE!..

PLUS TARD...

CINERAMA

TELEVISION

MARIE II

AL UDERZO

TEXTE GOSCINNY

TÉLÉVISION

I 136.

187

ÇA MORD!

ET AU BOUT D'UNE HEURE, ÇA A BEAUCOUP MORDU....

M'r LAPLAQUE, NOUS AVONS ASSEZ PÊCHÉ... LE RADEAU S'ENFONCE SOUS LE POIDS...

NOUS ALLONS EN JETER PAR DESSUS BORD; IL Y EN A DE TROP...

NOOOOONN!!... NOUS ALLONS MOURIR DE FAIM!!!

CE MANÈGE....

CHIC!

...DEVIENT VITE AGAÇANT...

!!!

... POUR LES POISSONS!

C'EST MON TROISIÈME VOYAGE!...

AL UDER20
TEXTE GOSCINNY

J.141

189

VOUS ÊTES DES NAVIGATEURS SOLITAIRES ?..

OUI, MONSIEUR...

J'AI BEAUCOUP LU D'HISTOIRES DE NAVIGATEURS SOLITAIRES DANS LES JOURNAUX ET JE SUIS RAVI D'EN VOIR EN CHAIR ET EN OS...

EN CHAIR ET EN OS... QUE JE N'AIME PAS CETTE EXPRESSION CHEZ UN CANNIBALE.

MONSIEUR, POURRIEZ-VOUS NOUS AIDER ? IL NOUS EST INTERDIT DE METTRE PIED A TERRE ET NOUS AVONS BESOIN DE VIVRES

MAIS AVEC JOIE...

CLAK!

PEU APRÈS ALORS QUE LA TEMPÊTE S'EST APAISÉE...

VOUS AVEZ ÉTÉ TRÈS GENTIL !

MAIS C'EST TOUT NATUREL, VOYONS. MES HOMMES VONT VOUS REMETTRE À L'EAU

ET PLUS TARD...

ILS NOUS EN ONT TROP DONNÉ

REGARDEZ Mr LAPLAQUE UN PAQUEBOT QUI VIENT VERS NOUS !

OHÉ DU RADEAU ! VOUS AVEZ BESOIN DE VIVRES ?..

NON, ET VOUS ?..

S.S. ADA

VOUS AVEZ DESCENDU LA CÔTE D'AFRIQUE, VOUS N'ÊTES PAS LOIN DU CAP !...

AL UDERZO

TEXTE GOSCINNY

CLIC!

MERCI ! VEUILLEZ PRÉVENIR Mr BONBAIN DU CRI, ET LUI DONNER NOTRE POSITION !

J. 150

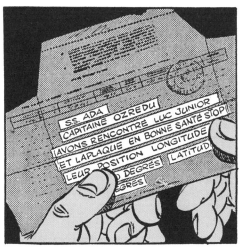

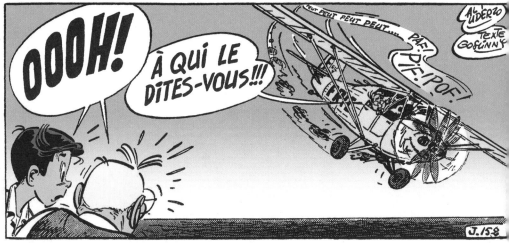

J.154.

LE BROUILLARD S'ÉPAISSIT À NOUVEAU...

LA NUIT TOMBE...

DORMONS

J'ALLAIS LE DIRE ...

LE LENDEMAIN MATIN ....

AAAAAHH!.. J'AI BIEN DORMI ET LE BROUILLARD S'EST DISSIPÉ ....

ZZZZZ!

OUAP!

S.S. GOSC

AMUSANT CE RADEAU QUI FAIT LA COURSE AVEC VOTRE BATEAU CAPITAINE ...

QUOI?!

?!

HIIP!

ARRIÈRE TOUTE !!!

STOP

PAS PAR LÀ

VITESSE PREMIÈRE AVANT TOUTE

ARRIÈRE TOUTE

5 MG DE SUCRE

TRiiiNK! TRiiiNK!

MAIS VOUS ÊTES LUC JUNIOR ET LAPLAQUE, LES CÉLÈBRES REPORTERS DU CRI!...

PAS MOYEN D'ÊTRE SEULS QUAND ON EST NAVIGATEURS SOLITAIRES!...

AL UDERZO

TEXTE GOSCINNY

T. 15 X

203

AUX FRONTIÈRES DU RÉEL

Soyons réalistes : René Goscinny et Albert Uderzo font l'impossible ! Maîtres de la bande dessinée humoristique, ils ont aussi, ensemble ou séparément, créé des bandes dessinées et récits illustrés dans le style réaliste. C'est d'ailleurs le cas, on l'a vu, lors de leur toute première œuvre commune faisant l'objet d'une publication, une leçon de savoir-vivre pour la rubrique *Qui a raison ?* dans le journal *Bonnes Soirées* daté du 16 décembre 1951. Mais ce type de travaux ne suscite pas leur enthousiasme, comme en témoigne un courrier envoyé de New York par Goscinny le 30 mai 1952 : **« Cher Bébert, je t'expédie un scénario de politesse. Je dois avouer qu'il m'est de plus en plus difficile de trouver des sujets pour cette rubrique et je prends un temps fou à consulter une documentation qui souvent ne me rapporte rien. Je tâcherai de t'en envoyer un paquet mais après une après-midi passée à chercher de nouveaux sujets, j'en suis un peu découragé. Pour cette politesse, le dessin est assez évident, je n'ai pas besoin de t'en faire une description. »**

Voilà qui en dit long quand on sait le plaisir qu'a habituellement le scénariste, pianotant avec gourmandise sur sa machine à écrire comme un virtuose sur son instrument, à concevoir des mondes où gags et calembours s'associent en une grammaire nouvelle. C'est que René Goscinny est un créateur, pas le « documenteur » de bonnes manières où le décalage du point de vue, dont il use à merveille pour déclencher l'éclat de rire, est interdit. **« Si j'écris, il faut que j'essaie de faire rire le lecteur. C'est glandulaire »** confie t-il lors d'une interview télévisée. Ce qui ne l'empêche pas, nécessité faisant loi, de fournir en quelques années au sein de la World Press chroniques, articles et nouvelles. Ainsi d'une série policière publiée dans *Le Moustique* en 1954.

Ou encore quelques textes d'*Oncle Paul* mis en images par Eddy Paape, qui ne lui laissent pas un grand souvenir : **« ça sortait de mes préoccupations et c'était assez pénible à faire. [...] Je ne me serais pas vu écrivant un Oncle Paul toutes les semaines**[19] **! »**. Si l'exercice lui convient moins, la qualité est toujours au rendez-vous : **« J'envie Goscinny qui peut faire tout un tas de choses à la fois,** confie Albert Uderzo. **C'est une gymnastique que je pratiquais quand je dessinais à la fois Astérix et Tanguy**[20]**... »**.

Car le dessinateur, lui aussi, passe d'un style à l'autre. C'est d'ailleurs cette polyvalence qui a motivé Yvan Chéron à lui proposer de travailler au sein de l'International Press. Alors dessinateur de presse, il jongle entre *France-Soir* et *France-Dimanche* et produit des illustrations réalistes. **« Chaque fois que j'ai fait du réalisme, c'était par accident,** explique t-il. [...] **Mon truc, c'était plutôt les grotesques avec des gros nez. Mais, pour gagner ma vie, il a bien fallu me mettre au goût du jour. On parle de la « ligne claire » avec Tintin, eh bien moi, c'était la ligne « super claire » : je faisais des dessins très cernés de noir pour bien marquer le personnage par rapport au décor, et comme il fallait aller très vite, il n'était pas question de penser à une ligne compliquée, on n'avait pas le temps de fignoler**[21] **! »** Voire ! Car certains trouvent qu'il fignole encore trop... À commencer par le Ministère de l'Information, qui attaque le journal et son dessinateur pour avoir illustré le compte-rendu d'un cambriolage avec un tel réalisme que l'article pouvait servir de guide du cambrioleur en herbe ! Rien à faire, même à contrecœur, Goscinny et Uderzo ne connaissent que l'excellence !

Pour *France Dimanche*, Albert Uderzo illustre «le roman du Tour de France». C'est en découvrant ces dessins qu'Yvan Chéron décide de le rencontrer.

19   *Les Cahiers de la Bande Dessinée* n°22, 1973
20   *Les Cahiers de la Bande Dessinée* n°23, 1973
21   *Astérix & Cie, entretiens avec Albert Uderzo*, Numa Sadoul, Hachette, 2001

Qui a raison ?

M. et Mme Dupont doivent inviter leurs amis, M. et Mme Durand. M. Dupont se charge d'écrire la lettre et procède ensuite à la rédaction de l'enveloppe. Mais Mme Dupont n'est pas d'accord :
— Je crois que tu commets une impolitesse en plaçant monsieur avant madame sur cette enveloppe. Pour obéir à la galanterie la plus élémentaire, voici comment je fais...
Et devant M. Dupont dubitatif, Mme Dupont rédige une nouvelle enveloppe...

(Réponse)

M. Dupont a raison. Il n'est pas question ici de galanterie ; quand une enveloppe est adressée à un ménage, « monsieur » doit toujours précéder « madame ».

Quel est votre avis ? Est-ce Mme Dupont, ou est-ce M. Dupont qui est dans le vrai ?

☐ **M. DUPONT**   ☐ **Mme DUPONT**

Inscrivez une croix dans la case qui vous semble correspondre à la solution exacte, et voyez la réponse à la page 40.

La première publication en duo de Goscinny et Uderzo, transformés en guides des bonnes manières pour le journal *Bonnes Soirées* !

Voici un bon exemple des illustrations réalistes qu'Albert Uderzo a longtemps réalisées pour la presse, avant de pouvoir exprimer librement son talent pour les « gros nez » et la caricature.

Bien qu'ayant une idée précise de la direction qu'ils souhaitent donner à leur travail, les deux amis sont à l'affût de tous les styles. René Goscinny ramène par exemple quelques merveilles de son séjour aux États-Unis. « **René m'a fait connaître Walt Kelly avec Pogo, qui n'était pas publié en France,** se souvient Uderzo. **Il m'a également fait connaître Mad et là aussi j'en ai été impressionné. D'ailleurs, certaines de mes réalisations d'alors sont faites avec du papier kraft pour obtenir une trame simple et une trame double qui faisaient deux grisés différents. C'est comme ça que travaillaient les gens de Mad**[22]. »

Dans cet unique strip
des *Aventures de Routine* signées Goscinny et Uderzo, le dessinateur expérimente la technique du dessin sur papier Kraft, qui l'a impressionné dans les travaux réalisés par l'équipe de *Mad*, ramenés des États-Unis par son ami scénariste.

Lorsqu'il a, le temps d'un gag, repris les personnages de collègues, Albert Uderzo s'est toujours attaché à en reproduire le style. Les lecteurs du *Pilote* des années 60 se souviennent peut-être des planches étonnantes de *Poisson d'Avril*, courte histoire (signée Ozredu, autrement un Uderzo tout retourné !) au cours de laquelle les héros du journal conversent ensemble dans une reproduction bluffante de chaque style. Ou encore d'un *Astérix* à la manière de, présentant les célèbres Gaulois successivement dans le style « grisés tramés » de *Mad*, naïf de Schulz, psychédélique... Jusqu'à les présenter en pantalons de golf tintinesques !

Dans les années 50, Uderzo se dit **« prêt à illustrer n'importe quoi et dans tous les styles demandés. C'est ainsi que, sur un scénario de Jean-Michel Charlier, je crée une série réaliste pour le journal Paris-Flirt qui s'appelle**

Clairette. Presque en même temps apparaît la seule série réaliste que nous réaliserons René Goscinny et moi : Bill Blanchart[23] **».**

Ce sont à nouveau les pages de *La Libre Junior* qui accueillent cette série qui n'en est pas vraiment une puisque seule une aventure, s'étalant sur 24 planches, sera réalisée, simultanément à la publication de *Luc Junior*, et de *Jehan Pistolet*. A nouveau, l'édito souhaite bienvenue au nouveau héros : « C'est un héros fort et franc, peu soucieux du danger mais fidèle à ses engagements. Il va droit devant lui, il vit, il travaille, il lutte avec un courage tranquille et sans forfanterie dont, j'en suis sûr, vous aimerez la noblesse. » Pourtant, n'en déplaise à Picvert, ce qui étonne le plus, vu d'aujourd'hui, c'est de constater, dans un supplément jeunesse soumis à une censure intransigeante, que dans presque chaque planche un personnage fume ou boit ! Cigarettes, pipes, cigares, porte-cigarettes, alcools forts... Tout y passe ! *O tempora, o mores*, comme dirait Triple Patte dans *Astérix*...

Dans un autre registre, des points communs avec *Luc Junior* se font jour, notamment dans la constitution d'un duo fondé sur l'association d'un héros courant vers l'aventure et d'un faire-valoir qui ne rêve que de tranquillité. Sur certaines vignettes, et malgré un style de dessin si différent, Slim Jack rappelle dans ses postures le photographe Laplaque. 60 ans après leur première publication dans *La Libre Belgique*, c'est en tous les cas un grand bonheur de voir se côtoyer à nouveau, à quelques pages de distances, ces deux œuvres remarquables, derniers galops d'essai avant que le génial tandem ne vole de ses propres ailes pour fonder *Pilote* et créer *Astérix*.

N'hésitant pas à mélanger les styles, Uderzo s'attache à employer les techniques de ses collègues pour reproduire au mieux leur trait, comme ici dans un *Poisson d'Avril* mettant en vedette les héros de *Pilote*.

22 *Astérix & Cie, entretiens avec Albert Uderzo*, Numa Sadoul, Hachette, 2001
23 *Albert Uderzo se raconte*, Albert Uderzo, Stock, 2008

Esquisses et recherches pour Bill Blanchart, chasseur de tigres,
et son acolyte Slim Jack.

Preuve de la polyvalence de Goscinny et Uderzo, ces deux personnages similaires (avec costume, cravate et chapeau)
respectivement extraits des séries *Benjamin et Benjamine* et *Bill Blanchart*, sont traités
dans des styles radicalement différents, de l'humoristique au réalisme le plus pur.

GOSCINNY ET UDERZO
PRÉSENTENT

Texte : René Goscinny
Dessins : Albert Uderzo

LES ÉDITIONS ALBERT RENÉ
26, AVENUE VICTOR HUGO 75116 PARIS.
pwww.asterix.com

Les planches de *Bill Blanchart*
ont été publiées dans *La Libre Junior* **du 25 novembre 1954 au 5 mai 1955,**
puis reprises dans *Jeannot*, **de février 1957 à janvier 1958.**

213

214

COMME VOUS LE VOYEZ M. BLANCHART, LA CHASSE EST POUR MOI, UNE PASSION...

...MES MOYENS M'ONT PERMIS DE CHASSER LE TIGRE DANS L'INDE ET LE LION EN AFRIQUE...

...IL ME MANQUE CEPENDANT PARMI MES TROPHÉES, UN ANIMAL DANGEREUX ENTRE TOUS... LE REQUIN!..

LE REQUIN!?

HÉ BIEN M. BLANCHART, ÊTES-VOUS MON HOMME?!!

LA CHASSE SOUS-MARINE N'EST CERTES PAS MA SPÉCIALITÉ...

C'EST CA! C'EST CA!.. CE N'EST PAS NOTRE SPÉCIALITÉ!

MAIS LE REQUIN, ÇA M'INTÉRESSE. J'ACCEPTE M. SMITTSON. JE CHASSERAI AVEC VOUS!..

OW!

MERCI M. BLANCHART! ET VOTRE PRIX SERA LE MIEN!

AU RETOUR...

MAIS TU ES FOU, BILL!.. LES REQUINS, C'EST TRÈS DANGEREUX; ÇA MANGE TOUT! QUELQUES MOIS DE VACANCES NOUS AURAIENT FAIT DU BIEN ET...

C'EST ENTENDU SLIM. TU RESTES!.. J'AVAIS D'AILLEURS BESOIN DE QUELQU'UN POUR RÉPONDRE AU TÉLÉPHONE AU BUREAU...

LE LENDEMAIN MATIN...

CLAK!

NOUS AVONS RENDEZ-VOUS AVEC M. SMITTSON A SON AÉRODROME PRIVÉ....

QUELQU'UN POUR RÉPONDRE AU TÉLÉPHONE!.. QUELQU'UN POUR RÉPONDRE AU TÉLÉPHONE!.. CE QU'IL FAUT S'ENTENDRE DIRE!...

BONJOUR MESSIEURS!.. MON AVION VOUS ATTEND...

AL UDERZO
TEXTE GOSCINNY

BB. 3

215

J'AI UNE PROPRIÉTÉ AU BORD DE LA MER, EN FLORIDE. IL M'A ÉTÉ SIGNALÉ NON LOIN DE LÀ, UN POINT DE LA CÔTE OÙ LES REQUINS ABONDENT..

TRÈS BIEN. L'AVION... CE VOYAGE PEUT ÊTRE AGRÉABLE MALGRÉ LES REQUINS...

NOUS NOUS SERVIRONS DE CET ÉQUIPEMENT POUR CHASSER... CELA LAISSERA AUX REQUINS UNE BONNE CHANCE DE SE DÉFENDRE CONTRE NOUS. CETTE CHANCE, C'EST LE PLAISIR DE LA CHASSE

QUELQUES HEURES PLUS TARD...

NOUS ARRIVONS, Mr BLANCHART.

NOUS ALLONS DIRECTEMENT À L'EMBARCADÈRE OÙ NOUS ATTEND MON BATEAU.

UN YACHT LUXUEUX SANS DOUTE AVEC TRENTE HOMMES D'ÉQUIPAGE !..

AL UDERZO
TEXTE GOSCINNY

VOILÀ MON BATEAU !..

VOUS NE CROYEZ PAS, Mr SMITTSON, QUE VOUS DONNÉ QUAND MÊME UN PEU TROP DE CHANCES AUX REQUINS?

BB.4

216

217

219

DEMAIN, DÉPART À CINQ HEURES, MESSIEURS...

NOUS Y SERONS, Mr SMITTSON.

CETTE AVENTURE EST DANGEREUSE BILL, NOUS DEVRIONS ABANDONNER!..

NOUS AVONS DONNÉ NOTRE PAROLE.... NOUS TÂCHERONS DE CAPTURER UNE BELLE PIÈCE ET NOUS PARTIRONS.

AU MATIN...

ALLONS SLIM!.. IL EST CINQ HEURES!..

HEIN?.. QUE... QUOI?.. MAIS JE VIENS DE ME COUCHER!!..

MAIS... QUE FAIS-TU?.

JE VAIS PLONGER... D'ABORD, ÇA ME RÉVEILLERA, ENSUITE JE RAMENERAI PEUT-ÊTRE UN REQUIN, CE QUI NOUS PERMETTRA DE QUITTER CES LIEUX INSALUBRES!..

FAIS ATTENTION, VIEUX!..

ALORS!.. OÙ SONT CES REQUINS?

ALORS, LÀ! JE NE COMPRENDS VRAIMENT PAS!..

AL. UDERZO
TEXTE GOSCINN

B.B.8

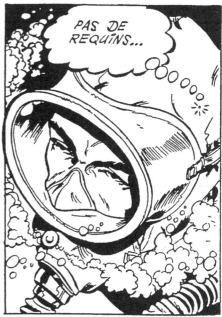

221

222

VITE! METS LE MOTEUR EN MARCHE... C'EST NOTRE SEULE CHANCE!!

TCHRAAAC!!

TROP TARD!..

LE RÉSERVOIR EST PERCÉ!..

LES VOILÀ! ILS VIENNENT NOUS CUEILLIR!

MONTEZ!..

BIENVENUS À MON BORD MESSIEURS!.. JE ME PRÉSENTE MON NOM EST TOMWELL.

EN...ENCHANTÉS!

JE VAIS MALHEUREUSEMENT ÊTRE UN TRÈS MAUVAIS HÔTE, CAR JE VAIS ÊTRE OBLIGÉ DE VOUS SUPPRIMER!..

DÉSOLÉ DE VOUS CAUSER DU SOUCI...

MAIS JE NE VOIS PAS D'INCONVÉNIENT À SATISFAIRE D'ABORD VOTRE FÂCHEUSE CURIOSITÉ...

AL UDERZO TEXTE GOSCINNY

BB 18

NOUS NOUS OCCUPONS DE CONTREBANDE D'OR... ET NOUS AVONS TROUVÉ UN MERVEILLEUX SYSTÈME POUR TROMPER LA SURVEILLANCE DES DOUANIERS ET DES GARDES-CÔTES...

...."LE CARGO QUI APPORTE LA "MARCHANDISE" DOIT S'EN DÉBARRASSER AVANT D'ACCOSTER...

...DONC À UN ENDROIT CONVENU, LA "MARCHANDISE" EST JETÉE PAR DESSUS BORD...

...L'ENDROIT ÉTAIT BIEN CHOISI...VOUS LE CONNAISSEZ BIEN... LES REQUINS MONTENT UNE GARDE QUI NOUS METTAIT, DU MOINS NOUS LE CROYIONS À L'ABRI DES INDISCRETS...

IL NE NOUS RESTAIT QU'À NOUS RENDRE AU LIEU DIT ET À LA DATE FIXÉE ...

ET NOTRE SCAPHANDRIER CONVENABLE-MENT PROTÉGÉ RECUEILLE LA "MARCHANDISE"...

...LE CARGO FOURNISSEUR CONTINUE TRANQUILLEMENT SA ROUTE ...

...ET SON ÉQUIPAGE PEUT DÉBARQUER TRANQUILLEMENT SOUS L'OEIL AMICAL DES DOUANIERS...

...VOUS COMPRENEZ, MESSIEURS, QUE CETTE HISTOIRE DOIT RESTER SECRÈTE... JE VAIS DONC M'ASSURER DE VOTRE DISCRÉTION ...

AL UDERZO
TEXTE GOSCINNY

B.B.13

225

ALLEZ-Y! JETEZ DES PROVISIONS PAR DESSUS BORD!..

VOUS COMPRENEZ?...CETTE NOURRITU-RE VA ATTIRER NOS AMIS LES REQUINS...C'EST LE HORS D'OEUVRE, VOUS SEREZ LE PLAT DE RÉSISTANCE...

CRAK!

ON RETROUVERA PEUT-ÊTRE DES DÉBRIS DU CANOT... LES GENS CROIRONT À UN ACCIDENT... DE VOUS HÉLAS, IL NE RESTERA RIEN... PLONGEZ JE VOUS PRIE...

LA COMPAGNIE DES REQUINS SERA UNE GRANDE AMÉLIORATION COMPARÉE À LA VÔTRE...

ILS S'EN VONT!.. ILS NOUS ABANDONNENT!..

AL UDERZO
TEXTE GOSCINN

AGITE-TOI... ÇA ÉCARTERA PEUT-ÊTRE LES REQUINS...

BB.14

226

JE VAIS VOUS RACONTER NOTRE PETITE AVENTURE Mr SMITTSON...

UN PEU PLUS TARD...

...C'EST UN GIBIER AUTREMENT DANGEREUX QUE LES REQUINS QUE NOUS VOUS OFFRONS...

DES CONTREBANDIERS!

JE VOULAIS DES ÉMOTIONS, JE VAIS ÊTRE SERVI ! ALLONS VITE PRÉVENIR LES GARDES-CÔTES ! JE N'OUBLIERAI PAS DE SITÔT CETTE EXPÉDITION DE PÊCHE !!!

NOUS NON PLUS !...

VOS INFORMATIONS NOUS INTÉRESSENT AU PLUS HAUT POINT, MESSIEURS !...

NOUS SOMMES À VOTRE DISPOSITION POUR VOUS AIDER...

MAIS IL FAUDRA AGIR AVEC DISCRÉTION POUR PRENDRE LES CONTREBANDIERS SUR LE FAIT !.. BILL ET SLIM DOIVENT RESTER CACHÉS, TOMWELL DOIT LES CROIRE MORTS !.. NOUS ATTENDRONS LA PROCHAINE LIVRAISON D'OR...

LE LENDEMAIN...

POURVU QUE LES GARDE-CÔTES NOUS PRÉVIENNENT VITE... CE N'EST PAS DRÔLE ICI...

DU MOINS NOUS N'AVONS PLUS À VOIR DES REQUINS C'EST UNE CONSOLATION !..

OH!!

AH, C'EST MALIN ! C'EST MALIN DE M'OFFRIR CE PUZZLE !!!

B.B. 16

PENDANT DES JOURS ET DES JOURS, LES AVIONS GARDE-CÔTES PATROUILLENT LA ZONE SIGNALÉE PAR BILL BLANCHART...

US COAST GUARD

ENCORE UNE MISSION SANS RÉSULTATS...

OUAIS...

BOB! REGARDE !!!

JE VAIS PRÉVENIR LE CAPITAINE !!!

ALLÔ? BILL BLANCHART? UN DE NOS AVIONS A VU UN CARGO MOUILLÉ À L'ENDROIT QUE VOUS CONNAISSEZ! C'EST SANS DOUTE UNE "LIVRAISON" CETTE NUIT NOUS IRONS CUEILLIR TOMWELL... VOUS ÊTES INVITÉS!...

HOURRAH!

CETTE NUIT-LÀ...

BIENVENUS À MON BORD, MESSIEURS...

AL UDERZO
TEXTE
GOSCINNY

POLICE

03

BB.17

229

LÀ-BAS! LE BATEAU DE TOMWELL!!!

UNE VEDETTE! LES GARDE-CÔTES PEUT-ÊTRE!...

IL FAUT FILER! IMMÉDIATEMENT

IMPOSSIBLE! LE SCAPHANDRIER EST EN PLONGÉE! IL FAUT LE REMONTER!

COUPONS VITE TOUS LES TUBES ET LES FILINS ET JETONS L'APPAREIL RESPIRATOIRE PAR DESSUS BORD!

QUOI?

NOUS N'ALLONS PAS SACRIFIER LE MALHEUREUX QUI EST AU FOND! NOUS NE SOMMES MÊME PAS SÛRS QUE CETTE VEDETTE APPARTIENT AUX GARDE-CÔTES!

JE NE VEUX PAS COURIR DE RISQUES!

TU FERAS CE QUE JE TE DIS, SINON!...

SALUT TOMWELL!

!!??

VOUS... VOUS N'ÊTES PAS MORTS !!!...

EH NON...

NOUS AMENONS DES AMIS...

JE ME PLAINDRAI CONTRE CETTE INTRUSION... JE NE SUIS QU'UN PÊCHEUR PACIFIQUE... VOUS POUVEZ FOUILLER LE BATEAU !!...

OÙ EST LE SCAPHANDRIER ?...

QUEL SCAPHANDRIER ?

LE SCAPHANDRIER... AU FOND... TOMWELL A COUPÉ LES CORDES... SAUVEZ-LE...

JE VAIS TÂCHER DE TIRER CE MALHEUREUX DE LÀ !

J'AI MON ÉQUIPEMENT DANS LA VEDETTE ! JE VOUS SUIS !...

LE VOILÀ !... POURVU QU'IL SOIT ENCORE VIVANT...

ÇA FAIT TROP LONGTEMPS QU'IL EST EN BAS... J'AI MON ÉQUIPEMENT... JE VAIS PLONGER...

IL FAUT QUE JE REMONTE... MES POUMONS VONT ÉCLATER...

SMITTSON.....
LE REQUIN.....
VA L'ATTAQUER...

JE L'AI EU, BILL! JE
L'AI EU !... QUEL
REQUIN !... QUELLE
CHASSE !...

VITE ! IL FAUT
ESSAYER DE
SORTIR LE
SCAPHANDRIER !...

UN PEU PLUS TARD...

234

J'AI BIEN CRU QUE JE NE VOUS REVERRAIS PLUS !..

AH ! MESSIEURS ! J'AI D'EXCELLENTES NOUVELLES !..

LE REQUIN S'EST ÉVADÉ ?..

TOMWELL A AVOUÉ. IL A DONNÉ LE NOM DE TOUS SES COMPLICES ET LA DATE À LAQUELLE LA PROCHAINE LIVRAISON D'OR DOIT SE FAIRE... TOMWELL N'EST PAS TRÈS BRAVE QUAND IL SE SENT PERDU... QUANT AU SCAPHANDRIER, NOUS AVONS RÉUSSI À LE RANIMER... IL EST SAUVÉ !

ET MOI, JE DOIS VOUS REMERCIER, BILL. L'EXPÉDITION EST UN SUCCÈS ! J'AI EU MON REQUIN !

LA CHASSE À L'HOMME ÉTAIT UNE PRIME !!!

LA MAISON NE RECULE DEVANT AUCUN SACRIFICE !

À LA PROCHAINE ET MERCI !..

C'EST ÇA : SI VOUS AVEZ DES ENNUIS, FAITES-NOUS SIGNE...

ET MAINTENANT, MES AMIS, À LA MAISON !...

QUELQUES HEURES APRÈS...

235

LES ALBUMS D'ASTÉRIX LE GAULOIS

DES MÊMES AUTEURS AUX ÉDITIONS ALBERT RENÉ